개똥영감의 열반

狗兒爺涅槃

狗兒爺涅槃

개똥영감의
열반

류진윈(劉錦雲) 지음

오수경 옮김

연극과인간

『중국현대희곡총서』 발간사

20세기 초 중국도 우리와 마찬가지로 일본을 통해 서구 현대극을 수용하여 한 세기 남짓한 역사를 꾸려왔다. 그러나 1950년 차오위曹禺의 〈뇌우〉 공연으로 서울 장안이 들썩거린 후, 1992년 중국과의 수교가 이루어질 때까지, 체제와 이념의 차이로 인해 우리 연극사에서 중국희곡은 오랫동안 금기에 속해왔다. 실제로 우리 연극계와 중국의 연극 교류는 1993년 강소성곤극원의 내한공연에서 비롯되어, 1994년 제1회 베세토연극제로부터 공식화된 플랫폼을 확보하고 지금까지 꾸준히 교류를 지속하고 있다. 그런데도 어쩐 일인지 우리 연극계에서 중국연극은 아직도 뭔가 낯설게 느껴진다. 중국과의 교류가 문화보다는 경제에 치우쳐 있었고, 일본어나 다른 서구 언어들에 비해 중국어가 낯설기도 했고, 연극계의 관심이 서구 연극에 경도되어 있었기도 하다. 또한 우리가 중국의 고전 문화를 잘 계승, 공유하고 있다는 자부심 때문에 현대 중국의 문화를 이해하기 위한 노력을 소홀히 해 온 것도 사실이다.

이제라도 현대 중국인의 삶을 담은 희곡들을 차근차근 우리 앞에 불러오고자 한다. 지금까지 차오위, 티엔한(田漢), 라오서(老舍), 샤옌(夏衍), 천바이천(陳白塵) 등 20세기 전반기의 희곡들이 일부 소개되었을 뿐, 신중국 이후의 작품은 거의 소개되지 않았다. 우리는『중국현대희곡총서』를 통해 신중국 이후 특히 문혁 이후 신시기 작품들을 중심으로 우수한 희곡을 선별하여 소개하고자 한다. 또한 홍콩, 대만 등 중국어권 지역의 동시대 희곡들에도 지속적인 관심을 가질 것이다. 이 중 우리의 정서에 맞고 공감할 수 있는 작품이나 창의성이 돋보이는 작품들이 우리 연극인들에 의해 재해석되어 무대화되기를 기대한다. 그래서 늦었지만 '한중연극교류협회'를 조직하여, 출판과 함께 '중국희곡 낭독공연'도 기획하였다. 실제 무대에서 관객과 잘 만날 수 있는 번역이 되도록 공을 들였다.

다만 실제 총서 작업에는 큰 어려움이 따랐다. 1차로 10종의 출판을 계획하고, 중국 현대희곡 번역 경험이 많은 김우석, 장희재 선생과 함께 작품 선정과 번역을 진행하였다. 그러나 중국 각지에 흩어져 있고 심지어 미국에 거주

6

하는 열 분의 작가를 하나하나 찾아내어 판권 계약을 하고 사진을 받는 과정은 많은 시간과 에너지를 필요로 했고 결국 두 분은 동의를 보류하여 8종만이 출판되게 되었다. 그럼에도 불구하고 그 과정에 작가들뿐 아니라 많은 중국 연극계의 지인들이 도움을 주셨다. 쉬샤오중(徐曉鐘), 류핑(劉平), 뤼샤오핑(呂效平), 왕쿠이(王尵), 야오원핑(姚文平) 선생들께 감사를 표한다. 늘 연극인의 벗으로 함께 해 온 도서출판 연극과인간 박성복 사장님이 이번에도 흔쾌히 출판에 응해 주셨고, 한병순 이사가 많은 수고를 해 주셨다. 주한중국문화원도 총서 출판을 적극 지원해 주었다. 모두에게 큰 감사를 표한다.

새로운 평화의 아시아 시대를 기원하며, 『중국현대희곡총서』의 출판이 우리 연극 무대에 아시아적 감성의 레퍼토리 계발과 함께 우리의 예술적 창의 도출에도 기여할 수 있기를 바란다.

2018년 5월
역자 대표 오수경 삼가 씀

차 례

개똥영감의 열반 *
(狗兒爺涅槃)

* 작가는 제목 아래에 "多場現代悲喜劇"이라는 설명을 통해, 막이 아닌 여러 장으로 이루어졌다는 사실과 현대 연극 중의 희비극이라는 사실을 천명하고 있다.

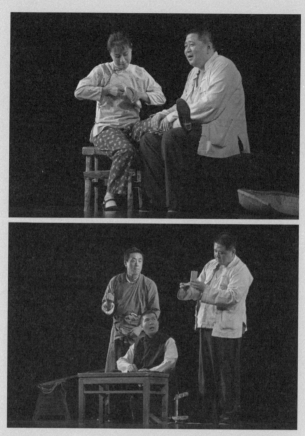

시간

현대

장소

북방의 한 작은 산촌 마을

등장인물

개똥영감 천허샹(陳賀祥)

치융니엔(祁永年)과 그의 환영(幻影)

리완쟝(李萬江)

쑤렌위(蘇連玉)

펑찐화(馮金花)

천따후(陳大虎)

치샤오멍(祁小夢)

1

무대 위에는 칠흑 같은 어둠. 차츰 살아나는 어스름한 빛 가운데로 우뚝 솟은 구식 벽돌 문루(門樓)의 깎아 놓은 듯한 그림자가 어렴풋이 드러난다.

먼저 치직치직 하는 마찰음이 들린다. 성냥 한 개비를 그으니, 불이 붙었다가, 바람이 불어 곧 꺼져 버린다. 잠깐 불빛 속에서 우리는 그――개똥영감을 보게 된다. 개똥영감, 그와 그 부친대의 쓰라린 역사를 담고 있는 이 영 고상하지 않은 별명이 이미 우리 주인공과 함께 칠십여 년의 인생여정을 걸어 왔다. 마을의 늙은이 젊은이 할 것 없이 그의 천허상이란 당당한 이름 석 자는 잊어버린 지 오래다. 지금 그는 이미 늙어빠진 모습에, 머리엔 백발이 성성하다. 하지만 그의 모습은 마치 한 마리 굶주린 짐승처럼, 뚫어져라 바라보며 엎드려서 기회를 노리고 있다. 또 한 개비의 성냥이 그어졌다가, 다시 꺼진다.

개똥영감   빌어먹을! 한평생 지독하게 운도 없더니, 이젠 성냥불도 안 붙네, 제기럴 글렀어……

또 한 개비를 긋자, 불이 붙는다. 그는 짚을 묶어 만들어놓은 횃불에 불을 붙인다―

그의 등 뒤에 치융니엔의 환영이 나타난다 ―그저 옛날처럼 치융니엔이라고 부르도록 하자. 그가 불을 불어 끄는 시늉을 하자, 곧 한줄기 바람소리가 나더니, 개똥영감 손에 들려 있던 막 불이 붙은 횃불이 또 꺼져 버린다.

개똥영감 (획 뒤를 돌아보고는 처음엔 깜짝 놀라나, 곧이어 마음이 가라앉은 듯) 난 또 누구라구?

치융니엔 그래, 나야.

개똥영감 넌 사람이 아니지?

치융니엔 ……아니야.

개똥영감 귀신이지?

치융니엔 ……응, 귀신이야.

개똥영감 뭐하러 왔어?

치융니엔 네가 내 생각했잖아.

개똥영감 내가 왜 네놈 생각을 해?

치융니엔 자네가 너무 답답했나 보지 ……우리 나이쯤 되면, 누구 생각만 해도 곧 그자가 나타나거든. (문루를 가리키며) 그냥 이렇게 태워 버리려구?

개똥영감 응, 태워 버려.

치융니엔 방화는 불법이야.

개똥영감 내 자식을 태워버리는 거야!

치융니엔 그리고 내 딸도, 자네에겐 며느리지.

개똥영감 몽땅 태워버려!

치융니엔 태운다, 태운다 말만 하지 정말 태울까? 허허!

개똥영감 뭘 웃는 거야?

치융니엔 자네 꼴이 우스워서.

개똥영감 뭐가 우스워?

치융니엔 나만도 못하니 우스울밖에.

개똥영감 (멸시하며) 내가 너만도 못하다구, 흥? 내가 너만도 못해?

치융니엔 자네 개똥영감이 당연 나보다 못하지. 난 이 문루에 살았었고, 큰 돈주머니 차고 장꿰이 노릇도 했고, 죽어서—비록 그리 달갑게 죽은 건 아니지만, 크건 작건 서마지기 땅은 지녔던 부자로 눈을 감았지. 헌데 자넨, 겨우 문루를 얻어서는 또 태워버려야 하다니, 인연이 없으면 재산도 붙질 않는 법이야.

개똥영감 꺼져, 더러운 지주놈!

치융니엔 그래도 우린 사돈 간인 걸.

개똥영감 절대 인정 못해, 어디, 우리 가문을 더럽힐려구!

치융니엔 우리 둘은 평생 닭 싸우듯 오리 다투듯 투닥거

리는 맞수였지. 허나 오늘밤엔 화해하세—. 저기
젊은 애들은 잘 살아보자고 궁리하는 모양인데—

문루의 다른 쪽으로 천따후와 치샤오멍이 나타난다.

치샤오멍 문루는 당신 아버지 목숨이나 마찬가진데, 감
히 그걸 건드릴려구?
천따후 망가진 차가 좋은 길을 막고 있으면, 치워버려야
지.
치샤오멍 오늘 오후에도 난리법석이 났었다구.
천따후 노인인 걸, 대충 속여 넘겨야지.
치샤오멍 당신 아버진 그리 쉽게 안 될 걸.
천따후 여지껏처럼 속여 넘길밖에. 문루를 팔아서 빚을
갚았다고 하지 뭐. 벌써 병든 지 이십 년째라, 문
루를 팔아서 약값을 갚았다고.

개똥영감과 치융니엔이 줄곧 듣고 있다.

치융니엔 들어 봐, 팔았대!
천따후 내일 팔고, 팔고 나면 곧 부숴버리는 거야.
개똥영감 내일 판다구? 내가 오늘 태워버릴 걸! 태워버리

는 게 차라리 통쾌하지. 태워버리는 게 속 시원해,
태워버리는 게 차라리 마음이 편하지. 태워버리는
게……

치융니엔 태워, 태워버리라구, 뻘건 불길이 솟아오르면
떠들썩하겠지!

개똥영감 뭐가 그리 신이 나? 겨우 서 마지기짜리 부자
가! 꼴꼴난 오도묘(五道廟)[1] 신령이 어디 큰 제사
를 받아 봤겠나? 난 진짜 큰 부자 노릇도 해 봤거
든……

치샤오멍 노인네가 잠이 드신 모양이야.

천따후 고생하셨지, 좀 쉬셔야지.

치샤오멍 어떤 노인은 늙을수록 더 정신이 또렷해지고,
늙을수록 더 고집불통이 돼서, 갈수록 모시기 어
렵다더니, 바로 당신 아버지가 그러시다니까.

천따후 돈벌레가 그리 바뀐 거지.

치샤오멍 두꺼비는 털도 안 난다잖아? — 그런 종자로 타
고난 거지! 당신은 아닌 줄 알아? 이 일 저 일 하
루 종일 정신없이 바쁘게 지내곤, 자리에 들면 늘
어져서 그대로 드르렁드르렁 하지, 꼬락서니라니!

---

1 五道廟는 보잘것없는 조그만 사당을 가리킨다.

천따후　그게 다 누굴 위해선데? 난 갈퀴고 넌 단지지, 다
　　　　널 위해 모으잖아, 우리 보물단지……

치샤오멍　됐네, 어서 가서 당신 아버지나 뵙고 와!

치융니엔　히히히, 부자 나리 더운 방귀도 못 쐬본 위인이,
　　　　무슨 부자 노릇을 해봤다구……

개똥영감　해 봤어! 이 개똥영감은 큰 부자노릇 해 봤다구,
　　　　이 개똥영감은 천석꾼 소리도 들었단 말이야!

치융니엔　겨우 내 스무 마지기 깨밭 추수한 거 가지구?

개똥영감　빌어먹을! 그게 어째 네놈 거야? 꽝하는 대포소
　　　　리 한 방에 너 개자식은 어디로 꺼져 버렸잖아,
　　　　온 마을 사람들이 몽땅 달아나 버렸지. (그때를 되
　　　　씹으며 빠져 든다. 총소리 대포소리가 은은히 들린다) 그
　　　　끝도 없고 가도 없이 넓디넓은 황금물결 들판만
　　　　남았었지, 그득그득 곡식을 담고서. 보고 있노라
　　　　면 눈이 다 나른해지고, 생각만 해도 맘이 다 푸
　　　　근하고, 잡아보면 손이 무쭐하고—그게 다 누구
　　　　거였지? 내 거! 이 개똥영감 거였단 말씀! 하느님,
　　　　사람도 이만큼은 돼야 살맛이 나지요, 헤헤헤, 히
　　　　히히……

치융니엔　돈 꾸러미 끌어안고 우물에 뛰어든다더니—목
　　　　숨은 버려도 재물은 못 버리는 촌놈이라니까, 허

허허, 후후후……

천따후가 다급한 소리로: "아버지. 아버지!"

웃는 소리, 외치는 소리가 차츰 사라진다. 총소리 대포소리
가 크게 울린다. 어두워진다.

2

총소리가 때로는 아련하게 멀리서, 때로는 바로 귓가에서 들
린다.

개똥영감 등 뒤에는 온통 무르익은 가을 벌판이 펼쳐 있다.
이때 머리 가득하던 백발이 사라지고, 다시 장년이 되어 있
다.

개똥영감 이 개똥영감으로 말할 것 같으면, 자리에 들면
마누라밖에 모르고, 일어나면 짚세기밖에 안 보이
고, 문 나서면 땅밖에 모르지—아니야! 땅이야말
로 마누라하고 댈 게 아니지, 바가지도 안 긁고,
여기저기 마실도 안 다니고, 성미도 안 부리고.
젊은 마누라야 보고 싶을 땐, 살금살금 다가와 비
비틀며 끌어당기다가도, 기분만 틀리면 싹 등을

돌려댄단 말야. 근데 땅은 말야, 상냥하고 부드러워, 누구든 심기만 하면 거두거든. 대포소리 한번 콩 하니, 마누라는 애 끌어안고 엉덩이에 불이라도 붙은 듯이 사람들 따라 도망가 버렸지. 가난한 놈도 달아나고, 부자놈도 달아나고. 땅만 달아나지 않고 나와 함께 남았어. 이 거대한 곡물 통가리하고 나만 남았지, 그리고 이 죽음도 아랑곳하지 않는 철써기와······

그의 좌우로 원형 조명 안에 동시에 치융니엔과 천따후의 얼굴이 나타난다.

치융니엔 죽고 사는 거야 명대로고, 부귀는 하늘에 달렸어—네가 떠벌려 봤자, 너한텐 국물도 없어.

천따후 (동시에) 아마 이게 우리 아버지가 가장 의기양양했을 때일 거야. 이 얘긴 날 품에 안고 있을 때 하시더니, 내가 손잡고 걸을 때도 하셨고, 지금도 틈만 나면 하신다니까. 하지만, 그만큼 들었으면 됐지. 지금은 땅바닥에 돈이 막 굴러다니는 땐데, 각자 제 생각대로 할밖에.

좌우의 얼굴이 사라진다.

개똥영감 아니? 이 농사를 거둬들이지 않는다니? 이 무르
익은 곡식을 보구 거둬들이지 않으면, 염라대왕도
용서하지 않을 걸. — 햐, 정말 보기만 해도 듬직
한 고량이야! 잘도 자랐어, 훌륭한 품종이야. (가
리키며) 요놈은 "목 비뚤어진 누렁이", 조놈은 "징
채", 조놈은 "봉황둥지", 그리고 요놈은 "시꺼먼 마
누라 눈 까뒤집기". 헤헤, 키는 크지 않은데두 이
삭도 제법 큰 걸. — 아하 "암퇘지 째깨발 서기"구
나. 이거 봐, 바구니에 넘치는 게 푸성귀고……
쳇! 째째하긴, 고량은 본래 별 볼일 없는 곡식이라
많이 먹으면 똥도 안 나와, 그래도 이 "황금 여왕"
옥수수가 낫지, ……오, 참깨도! 입 쩍 벌린 참깨
말이지. 구석에 박혀서도 대가 쭉쭉 잘도 자라는
한결같은 "패왕채찍", 치가네 거지. 이랑 하나 정
말 길어, 오백 길은 될 걸. 내 그 집에서 품 팔 때,
반나절을 갈아도 한 이랑을 마치지 못했거든. 치
가도 달아나 버렸으니, 이게 다 누구 거겠어? 이
개똥영감 거지, 얼씨구! (참깨를 베며) 정말 째지게
좋은데…… 참깨 다 베면 땅콩을 거둬야지, 글구

기장도 있지. 설엔 찰떡 실컷 먹겠네…… (대포소리) "돈밖에 모르는 시커먼 돈벌레, 마누라도 자식 새끼도 다 필요 없단 말이지!" 마누라가 자식 놈을 안고 피난 가며 그렇게 내게 욕을 퍼부었지. 염라대왕이 데려가지 않으면 살아서 돌아오는 거고, 데려가겠다면 내가 안가도 폭탄 한 방으로 너희 둘을 날려 버릴 테니, 내가 간들 하나나 살려 둘라고? 애 어멈, 당신이 복이 있고 명이 길어 살아만 돌아오면, 아들 녀석아, 넌 잘 먹고 지낼 수 있단 말야! (베며. 생각하며) 아일 아끼다가는 ─늑대를 잡을 수가 없고, 마누랄 아끼다가는 ─중을 잡을 수가 없지! 아일 아끼다가는…… (점차 무대 안쪽으로 들어간다)

포성도 점차 사그러진다.

3

이미 전쟁은 끝나고. 치융니엔이 피난에서 돌아와 개똥영감을 찾아왔다.

치융니엔 (표독스럽게) 인연 없는 복이 너한테 돌아갈 거
같애? 개똥영감, 이 개똥이 놈—

개똥영감이 등장한다.

개똥영감 (머뭇머뭇거리며, 하북 방자희의 〈전에 오르며(大登殿)〉
곡을 흥얼거린다) "십하고도 팔 년 만에, 겨우 장안
에 황제로 등극하였네……" 사실 지주 노릇하기
도 쉽지 않던 걸— 정말 힘들었어! 이 열두어 섬
이나 되는 참깨를 터느라, 허리가 부러질 뻔했지.
(얼른 말투를 고쳐) 어휴 바보 같은 자식! 돼지고기
못 먹어봤다고 돼지새끼 달아나는 것도 못 봤을까
봐? 그때 너두 천 나으리가 된 거라구! 저 치융니
엔을 봐, 일년내내, 마고자 두루막 떨쳐입고, 깨끗
한 버선에, 신발엔 흙도 안 묻히지, 쓰러진 풀도
잡지 않고, 선 풀에 손도 대지 않아, 밖에 나갈 땐
턱 노새 타고 나서고, 언제나 기름이 잘잘 흐르는
밥상을 받았지. ……방금, 누구야? 별명 말구 이
름 부르면 안 돼? — 천허샹이라구!

치융니엔 (가소롭다는 듯이) 대포소리 한 방에, 네 녀석이
한껏 기가 살았구나. 올해 농사 수확은 괜찮은가?

개똥영감　당연하지! (비밀스레) 솔직히, 항아리고 그릇이
　　　　고, 신발 속에까지 모두 참기름이었지, 이제 기름
　　　　에 튀긴 꽈배기는 아주 질렸다니까, 정말 너무 기
　　　　름져서 설사가 줄줄 나오더라구.

치융니엔　(애매하게) 말해 보게, 품삯은 어떻게 치면 되겠
　　　　나?

개똥영감　품삯, 무슨 품삯?

치융니엔　자네가 내 참깨를 털어 주었으니, 품삯을 줘야
　　　　하지 않겠나!

개똥영감　어―, 스무 마지기 참깨는 내 목숨이나 한가지
　　　　야. 깨 가져가려거든 내 목 따가.

치융니엔　말해 두겠는데, 환향단(還鄕團)[2]이 돌아올 거야.

개똥영감　나도 말해 두겠는데, 혁명 부대가 여기서 멀잖
　　　　다구, 강만 건너면 바로야.

치융니엔　이 참깨는 내 거야, 내 땅에서 자란 거야.

개똥영감　이 참깨는 내 거야, 내 주머니 속에 들었거든.

치융니엔　도대체 이젠 법도 없어?

개똥영감　법이고 나발이고 대포 소리에 다 날아가 버렸지!

치융니엔　이 타고난 무뢰한, 쌍놈의 자식.

---

2 환향단(還鄕團)은 내전 기간 국민당의 조직.

개똥영감 이 놈이 막 욕을 해?

치융니엔 조상 대대로 천한 것이! 네 애비가 바로 쌍놈이었지.

개똥영감 네 애비가 쌍놈이지!

치융니엔 네 애비가 쌍놈 아니었단 말야? 강아지 한 마리 산 채로 삼키기 내길 해서, 땅 두 마지기 대신 자기 목숨을 내놨다니까, 게다가 네겐 개똥이란 이름까지 남겼지.

개똥영감 (편치 않아) 그건 우리 아부지가 땅이 없어서였지, 땅을 갖고 싶었지만 없었거든…… 네 애비는 쌍놈 아니야? 네 애비는 뭐 태어나면서부터 이맛배기에 '만석꾼'이라구 쓰여 있기라도 했냐구? 흥! 광서 년간에 큰 홍수 났을 때, 온 또랑이 다 넘치고, 땅 위엔 풀포기 하나 남질 않았었는데, 유독 니네 집 지붕에는 두 자나 되는 고수풀이 났지— 아직도 모르겠단 말야, 그 진흙 지붕 위에 어떻게 고수풀이 돋았지?

치융니엔 바보자식, 그건 재신(財神)이 우리 어르신을 택한 때문이라구, 한 보따리 고수풀 씨를 집 바를 진흙 갤 때 쓰는 보릿겨와 섞어 놓았던 탓이지.

개똥영감 우리 아부지가 그 얘길 듣고, 이듬해 집 바를

때, 보릿겨 속에 고수풀 씨, 호박 씨, 조롱박 씨 등을 잔뜩 섞어 놓았는데, 굳이 그땐 칠칠이 사십구 일 동안 빗방울 하나도 못 봤다거든. 우리 부자도 재물신에게 빠뜨리지 않고 바칠 건 다 바쳤는데 말야, 차라리 강아질 먹이는 게 나았지!

치융니엔 그거야 네 애비가 타고나길 천하게 타고나서 그렇지.

개똥영감 네 애비도 뭐 그리 귀하진 않았어, 그 고수풀을 비싸게 팔아 돈을 벌었지. 손해 볼 턱이 있나? 큰 식당에다 한 뿌리에 십 전씩이나 받고 팔았으니! 이 밭 세 마지기가 그렇게 생긴 거지.

치융니엔 그래, 그렇게 생긴 거야, 부자가 됐지!

개똥영감 너만 그렇게 부자 되란 법 있어? 나도 부자 좀 돼 보자, 신바람 나게 벌어 봐야지!

치융니엔 이건 정당한 방법이 아니야!

개똥영감 내 손으로 땀 흘려서 얻은 거야, 그래도 정당하게 모은 게 아니라구?

치융니엔 엉터리 소리 작작하고, 깨나 내 놔!

개똥영감 이렇게 앉아 얘기해 준 값 내 놔, 이 어르신 그럴 시간도 없거든.

치융니엔 개 버릇 남 못 준다더니, 그 해 바로 네가 내 노새를 우물에다 처넣었지……

개똥영감   누구 탓을 해? 내가 늬 집 머슴 살 때, 날 쉬지 못하게 한 건 그렇다 쳐, 짐승까지도 쉬질 못하게 하니, 그게 너무 목이 마르니까 우물로 뛰어들지 않고 배기겠어? 네가 날 늬 집 저 높다란 문루에다 매달아 놓고, 적신 삼줄로 겁나게 때렸지, 살점이야 떨어져나가도 또 돋아난다지만, 너무 얻어맞는 바람에 군복 천으로 막 해 입은 겉옷이 다 해져버렸지. 맞은 걸로 노새 값은 치른 셈이니, 그 옷이나 물어내, 물어내라구!

치융니엔   엉터리없이 끌어다 붙이긴! 참깨만 돌려주면 돼.

개똥영감   참깨? 어림없지.

치융니엔   잊지 마, 이 땅은— 내가 지주야!

개똥영감   꽝하고 대포소리 나던 때, 넌 꺼져 버렸어, 이젠 내가 지주야!

치융니엔   내가 지주야!

개똥영감   내가 지주야!

한바탕 총소리가 귓전을 울린다. 리완장이 총을 들고 뛰어 올라온다. 그는 민병 소대장이다.

리완쟝　누가 지주인가?

개똥영감　(치융니엔을 가리키며) 저놈!

리완쟝　(훈계하듯) 도망간 지주 치융니엔은 들으라: 즉시 집으로 돌아가, 상세히 재산을 정리하고, 토지문서를 챙겨다가, 비판 받고 처분대로 따르라.

치융니엔　(두려워하며) 네.

리완쟝　정직하게 해, 허튼 수작 말고!

치융니엔　네. (가려 한다)

개똥영감　(거들먹거리며) 돌아와 봐!

치융니엔　네.

개똥영감　정직하게 해, 허튼 수작 말라구! 가 봐.

치융니엔　네. (퇴장한다)

개똥영감　(흥분되고 기뻐서) 완쟝 아우, 우리 부대가 다시 돌아왔어?

리완쟝　돌아왔어요!

개똥영감　해방인가?

리완쟝　해방이지요!

개똥영감　치융니엔에게 당할 일 없겠지?

리완쟝　영원히!

개똥영감　우린 농사지을 땅을 갖게 될까?

리완쟝　곧 똑같이 나눌 겁니다.

개똥영감 이 은혜를 어찌 갚지, 이 은혜를! 아우, 이 개똥
　　　　　이가 반평생 치가네서 수모를 받았는데, 다른 집
　　　　　은 필요 없어, 치가네 저 높은 문루, 내가 저 꼭대
　　　　　기에 매달려 매 맞던 저 문루를 나한테 주게, 괜
　　　　　찮겠지?

리완장 좋아요, 드리지요!

개똥영감 이 은혜를 어찌 갚지, 이 은혜를⋯⋯

　　　　　마을 사람 쑤롄위가 부리나케 달려온다. 그는 이발장이로,
　　　　　늘 사람 모이는 곳을 쫓아 다녀 소식이 빠르다. 좋은 일을 해
　　　　　도 그리 좋아 보이지 않고, 나쁜 일을 해도 그리 나빠 보이지
　　　　　않는, 그러나 또 남의 일 돕기를 즐겨 하는 사람이다.

쑤롄위 개똥 형님⋯⋯ 형수가 가셨수!

개똥영감 （급하게） 마누라가⋯⋯

쑤롄위 우리 모두 동쪽 모래언덕 버드나무골목에 있었는
　　　　　데, 폭탄이 하나 날아와서는 커다란 구덩이 하나
　　　　　만큼 날려 버렸어, 아주머니가 그만⋯⋯

개똥영감 우리 따후? 아들 녀석은?

쑤롄위 애는 괜찮아요, 아무 일 없어, 우리 집에 안아다
　　　　　놨어요.

개똥영감 (통곡한다) 깨는 거뒀는데 마누라가 죽다니!……
우리 마누라…… 우리 아들……

어두워진다.

4

천따후 소리:"아버지, 아버지!"
조명이 문루의 한 쪽을 밝게 비추자, 온통 백발의 개똥영감
이 거기 웅크리고 있다.
천따후가 개똥영감을 찾아낸다.

천따후 아버지, 또 뭔 생각하세요?

개똥영감 (전혀 꿈쩍도 않고) 네 어미 생각.

천따후 (조용히) 친어머닌 돌아가셨어요, 바로 그 스무 마
지기 참깨밭 땜에……

개똥영감 네 새어머니 말이다.

천따후 새어머닌 가버렸잖아요, 바로 아버지 고집 땜에,
그렇게 외곬으로만 생각하니……

개똥영감 (문루의 벽돌 모서릴 꽉 붙잡고) 문루, 내 문루!

천따후 이젠 이 문루만 남았어요, 그리고 저하고요. 뭐가

더 중요해요? 말해보세요!

치샤오멍이 옷을 걸치며 등장한다.

치샤오멍　따후, 읍내서 장거리 전화가 걸려왔어, 우리 백
　　　　운 채석장이 언제 일 시작하냐구?

천따후　예정대로 어김없이— 내일부터.

치샤오멍　내일부터? 이 문루는—

천따후　헐어버려. 이걸 그냥 두고 어떻게 차가 다니겠어?
　　　　아버지, 집으로 돌아가세요!

치샤오멍　이러다가 병이라두 나시면 또 우리가 간호해야
　　　　하잖아요. 모두 굉장히 바쁘거든요.

개똥영감　(하릴없이) 따후 어멈, 따후 어멈, 우리 마누
　　　　라……

어두워진다.

5

앞에서부터 밝아진다. 먼저 쑤렌위의 소리: "개똥 형님. 가십
시다!"

봄날 새벽, 서늘한 바람이 솔솔 불어온다. 길 가엔 군데군데 꽃들이 피어 있다. 개똥영감과 쑤렌위가 어깨를 나란히 걸어온다.

쑤렌위 이렇게 맘을 못 정하고 망설이는 꼴이란, 형님! 마누라 얻으러 가는 거예요, 신나는 일이라구, 사형장에 끌려가는 게 아니에요!

개똥영감 좋은 일이야 좋은 일이지, 허나 이렇게 빨리, 주위 사람들 웃음거리가 되지 않을까?

쑤렌위 아무도 웃지 않아요. 옛 말에도 있지 않소: 여잔 담장에 입힌 진흙 같은 거라, 한 꺼풀 떨어져 나가면 또 한 겹이 있지. 붉은 치마가 가버리면, 푸른 치마가 있다니까. 이태나 홀애비 신세로 지내고도 부족해서 그러나? 땅 파고, 기름집 내고, 안팎으로 사내 노릇하랴 에미 노릇하랴, 그게 할 짓이우? 내가 이발상자 메고 이 집 저 집 다니며 벌써부터 눈여겨 봐 두었지.

개똥영감 이런 전쟁통에 정신도 없고, 두었다 천천히 다시 이야기하세!

쑤렌위 됐소, 개똥 형님, 일 어그러뜨리지나 마시우. 복사마을 거긴 내 말을 통해 놓았지, 우리 천 나리는

중년에 상처하였고, 먹고 살긴 족하다고 했지. 다른 건 제쳐 놓고, 참기름만도 두세 항아리씩 쟁여 놓았다 했더니, 그 말 듣고는 그 젊은 과부 좋아서 쬐끄만 입이 함박만큼 벌어지더라구. 그 생김으로 말하자면, 얼마나 예쁜지는 관두고, 누구처럼 생겼다 할까, 우리 마을엔 그런 이가 없고, 그래, 바로 형님 댁 사랑방 웃목 벽에 붙여 놓은 그 여포극(呂布戱)에 나오는 미녀 초선(貂嬋)이 같다니까.

개똥영감　정말?

쑤렌위　일단 가서 보자구요, 산 너머 늙은 소 사는 것도 아닌데. 양심에 걸리는 얘길 하자면, 그녈 보니, 그해 버드나무골목서 폭탄 맞은 게 아주머니가 아니라, 우리 집 "밑천"이었어야 하는데—칠칠치 못한 그 생김하며! 맷돌장같이 생겨 가지구.

개똥영감　헛소릴랑 그만 허구. 몇 살이래?

쑤렌위　열아홉.

개똥영감　난 벌써 서른여덟인 걸.

쑤렌위　어때서? 요즘 같은 때 형님같이 열닷 섬 닷 말 참깨를 쌓아 놓고 있는 사람이야, 숫처녀라도 올 텐데, 젊은 과부쯤이야! 우리—, 때를 놓치면 못 쓰는 법, 말 났을 때 가야지, 찐빵 하나라도 손에 쥐는 게 임자라우, 때 돼서 꽁지 빠진 매 풀어 본들 무슨 소용? 먼저 선수 쓰는 게 최고지 ─ 업어 오는 거예요!

개똥영감 업어 오라구?

쑤렌위 내 말 들어요, 틀림없다구. 거긴 적 점령구라, 아직 "부녀해방"을 몰라요, 과부가 시집가면 큰일난다구, 누가 그런 맘이라도 먹으면, 또 얼굴이라도 반반하면, 눈이 벌개진 사내들이 저마다 와서 덤빈다니까. 누구든 먼저 차지하는 게 임자라, 도중에 뺏어 가기도 한다는 걸, 봐요, 몽둥이까지 가지고 왔다구. (뒤에 차고 온 몽둥이를 내보인다)

개똥영감 (일찌감치 준비해 온 듯) 노끈도 가지고 왔지, 여차하면……

쑤렌위 (깨달았다는 듯) 치! 벌써 착실히 준비 다 해 왔구먼, 시치밀 떼고 있었어! 가자구요, 날 밝기 전에.

개똥영감 십팔 리라, 단숨에 가지 뭐.

쑤렌위 잊지 마시우, 거기 가선, 서른여덟이라 하면 안 돼요.

개똥영감 알았어.

두 사람이 사라진다. 곧 조명이 복숭아나무 한 그루를 비춘다. 평찐화가 등을 돌린 채 나무에 기대어 있다. 개똥영감이 애걸한다. 멀지 않은 곳에 쑤렌위가 몽둥이를 들고 서 있는 모습.

개똥영감   이름이 평찐화라구?

평찐화가 고개를 끄덕인다.

개똥영감   어때, 나 따라 갈 텐가?

평찐화가 고개를 가로젓는다.

개똥영감   어휴, 이만큼 뜸을 들였으면, 좀 시원스레 대답을 해야지! 먼저 고개나 좀 돌려봐, 응?
평찐화   (몸을 돌리며) 자, 실컷 보라구요.

개똥영감은 담배를 태우는 채하며, 성냥 한 개피를 긋는다. 성냥불빛으로 밝히 보려고. 불빛이 두 사람의 얼굴을 밝힌다.

개똥영감 어! 제법 곱상한데.

펑찐화 어머, 나이가 몇이에요?

개똥영감 서른…… 서른 하나.

펑찐화 나보다 열둘이나 많네요.

개똥영감 개띤가?

펑찐화 뭐라구요?

개똥영감 (급히 따져본다) 자축인묘…… 참 뱀띠지, 둘 다 뱀띠여, 이런 기억력하군.

펑찐화 너무 나이가 많아요.

개똥영감 나이가 많다구? 젊은 신랑은 주먹질이나 하지만, 나이 든 신랑은 떡 준다잖어— 나이 든 신랑이 더 사랑해주는 법이야, 이 멍텅구리 마누라야! 내가 사랑해준다니까……

펑찐화 피!— 어떻게 해 줄 건데?

쑤렌위 (끼어들며) 저 턱수염 좀 보라구.

펑찐화 응?

개똥영감 저…… (쑤렌위가 얼른 손가락 세 개를 내보인다) 어, 내 세 가지는 약속하지.

펑찐화 세 가지, 뭔데요?

개똥영감 집에서 지낼 때, 남자는 갈퀴, 여자는 항아리, 모아서 다 당신한테 맡길게. 밑빠진 독처럼 계속

채우라면 안되지만, 들어와 살림 맡으면, 열쇠 꾸러미를 맡기지.

펑찐화 틀림없겠죠? 두 번째는요?

개똥영감 보리 이모작을 해도, 밭일은 안 시킬 거야.

펑찐화 난 피부가 약해서, 햇볕에 그을리면 독창이 생긴다구요.

개똥영감 물론, 농사꾼은 일이 없으면 죽어도, 힘들어 죽는 법은 없어. 지금은 땅이 별로 많지 않으니까 그렇고, 땅이 늘면 품꾼을 쓰면 되지!

펑찐화 정말요? 품꾼을 쓴다구요?

개똥영감 왜 안 될 일 있어? 그럼 내가 품을 팔란 말야? 여봐, 내 이래 뵈도 모아 놓은 게 좀 있다구.

펑찐화 그 얘긴 들었어요. 세 번째는요?

개똥영감 세 번째는…… (쑤렌위가 또 손가락 세 개를 내보이니) 어, 내 세 가지 일은 시키지 않을게; 첫째로 물 긷는 일, 우리 마을엔 남쪽에 단 우물이 있고, 북쪽에 시원한 샘이 있거든, 내 언제든 물독 가득 물을 길어다 놓을 게. 두 번째로 방아 돌리는 일, 당나귀 들쑤셔서 연자방아를 돌리게 하는 것 같은 일은 본래 여자가 하는 일이 아니지. 칼국수든 소면이든 뭐든 다 먹을 수 있게 빻아다 줄 테니까.

세 번째 부엌일, 내 밀가루 떡도 굽고, 달걀도 부치고, 장아찌 채 썰어 참기름에 재운 것, 우린 매일 이런 걸 먹지. 또 뭐가 있는지 말해 보라구? 다 들어 줄 테니까, 됐지?

펑찐화 남자들은 다 이렇다니까. 급할 때는 뭐든 다 해 준다고 하고, 지나고 나면 딴 소리.

개똥영감 이 개똥영감은 그런 사람 아니야,.

펑찐화 (입을 막고) 히히―

개똥영감 아니, 천허샹이― 애 엄마한테 하고 싶은 말은……

펑찐화 치―. 보자마자 그렇게 부르다니!

개똥영감 내 당신 바라는 건 다 들어 주겠지만, 단 한 가지, 우리 따후는 잘 돌봐야 해, 우리 천씨집 대 이을 자손이니까!

펑찐화 (슬퍼져서) 난 남편 죽고, 또 얼마 전에 애까지 잃었어요, 아직 젖도 못 끊었는데, (가슴을 문지르며) 젖은 자꾸 불어서 아프고, 품안은 허전하고, 애가 없으니 견딜 수가 없어요.

개똥영감 허허, 꼭 들어맞는 인연이로군― 신기하기도 하지! 렌위, 됐어―

펑찐화 누가 됐대요?

개똥영감　아니라구? 아니라면 다시 얘기하지, 난 시간도 많고 맘도 느긋하니, 또 뭘 어쩌라구?

펑찐화　우리 여기 식으로는, 새 사람이든 헌 사람이든 땅을 밟고 마을을 나가선 안 돼요. 내가 자기 발로 걸어갔다는 말이 나면 안 되거든요.

개똥영감　당장 어디서 사람이랑 가마를 구한다? 이렇게 하지, 내 등에 업혀— （자세를 취한다）

펑찐화　힘들 텐데!

개똥영감　맘이 아픈가?

쑤렌위　나도 있잖아. （놀란 듯이） 저기 큰 길에 사람들이 몰려오는 걸!

개똥영감　애 엄마, 얼른—

펑찐화　（얼른 그의 등에 업혀 그의 등판을 두드리며） 개똥영감……

개똥영감　갑시다, 우리 개똥마누라! （잔걸음으로 뛴다）

펑찐화　아야, 허리 아파요…… （깔깔 웃으며, 개똥영감에게 업혀 퇴장한다）

쑤렌위　（질투라도 나듯） 좋은 일은 모두 저 친구한테 돌아간다니까! 잔치 국수나 먹으러 가야겠군.

6

무대 한 쪽이 밝아, 눈이 부실 정도이다. 반질반질한 타일을 붙인 파란 문루는 싹 새로 장식되어 있다. 자줏빛으로 익은 대추들이 가지마다 묵직하게 열려 있다. 문루 앞 대추나무 아래, 나지막한 네모탁자와 나지막한 걸상들이 놓여 있다. 펑찐화는 그 나지막한 걸상에 앉아 신바닥을 꿰매고 있다. 바늘이 움직이는 대로 입에서는 무심히 무슨 노래를 흥얼거리고 있다. 그 노래는 "큰 수레가 데굴데굴 굴러서, 굴러서 굴러서 굴러서 우리 집에 닿았네……"라고 하는 것 같다. 막 뒤에서 개똥영감의 외치는 소리가 들려온다: "어디로 도망가려고……?" 드디어 등장한다. 손에는 붉은 대추가 몇 알 들려 있다.

펑찐화 누구한테 그렇게 소릴 질러요? 이 종이당나귀 같은 양반—목청만 좋아서는!

개똥영감 당신은 속 편하군. 내가 노새에게 여물 좀 갖다 주는 사이에 애들이 와서 대추 다 털어가도 상관도 않고. 이런 말썽꾸러기들은 처음이야. 새끼대추가 막 열릴라 할 때부터 이렇게 수난을 당하니! 도둑은 털어가는 거보다 안 잊어먹고 찾아오는 게 더

무섭다니까. (또 소리 지른다) 이 못 배워먹은 녀석들 같으니, 니네도 살아야지만, 우리도 살아야지.

펑찐화 됐어요, 됐어, 불이라도 났나? 사람들이 웃겠어요. 본래 그런 거 아니에요? 대추 같은 건, 본 사람이 털어 가는 거죠. 흔치 않은 거라도, 다들 이웃인 데 먹었으면 먹은 거지, 어쩌겠수? 고개 들면 보이고, 숙이면 안 보이는 거지 뭐, 누가 천장에다 문이라도 내고 있답디까?

개똥영감 오늘 세 개 잃으면 내일은 다섯 개 잃는 법이야. (손에 쥔 대추를 보며) 우리 후얼은 어디 갔지?

펑찐화 저기 렌위 아주머니가 봐 준다고 안고 갔어요. 와서 이것 좀 봐요.

개똥영감 뭔데?

펑찐화 후얼 덧신 밑창이에요, 거의 당신 것만 해요!

개똥영감 웃기지 마. 네 살짜리 애가 내 발만 하다구?

펑찐화 저, 내일 나 장에 좀 다녀올래요.

개똥영감 처음엔 울고 두 번째는 웃고, 세 번째는 장에 가고, 네 번째는 절에 가고. 아낙네들이 이거 안 하고 못 배기지.

펑찐화 용한 사람 찾아서 좀 물어보려구, 시집 온 지 벌 써 몇 년인데, 아이도 없고……

개똥영감 그것 땜에? 음, 내 젊었을 때 점을 본 적이 있는데, 내 팔자엔 아들이 하나뿐이래, 뭐가 걱정이야? 된 자식 하나면 못난 자식 열보다 낫지.

펑찐화 이 생각만 하면, 당신한테 미안해서요. (훌쩍이기 시작한다) 딸이든 아들이든 하나만 있으면, 나도 의지가 될 텐데.

개똥영감 당신이 그렇게 후얼을 위하는데, 후얼이 당신 위하지 않을까 봐?

펑찐화 어찌 알겠수? 한 배 건너가 산 하나보다 멀다는데……

개똥영감 우리 후얼은 속이 제대로 된 아이야, 몇 년만 있으면 자랄 거고—개가 자라면 난 늙겠지!

펑찐화 당신은 늙지 않아요, 늙어도 난 좋은 걸.

개똥영감 아무럼, 젊은 신랑은 주먹질이고 늙은 신랑은……

펑찐화 됐어요, 또 시작이네, 노랫가락처럼 그렇게 날 얼렀죠, 처음엔 요것조것 달콤한 말로 얼르더니, 이 집에 들어오자마자 어땠죠? 요 몇 년간을 노새 부리듯 부리고, 하마트면 지쳐죽을 뻔 했다니까.

개똥영감 살아가려면 뼈 빠지게 고생해야 한다는 거 알면서 그래? 이제 좀 빤하잖아, 쥐화칭을 사다가

도르래를 돌리니 맷돌에 손 갈리는 때는 지나갔
고. 지금 땅값 쌀 때 몇 마지기 더 장만해야지, 먼
저 쑤롄위네 큰모퉁이 땅 세 마지기부터 사 들이
면, 내년엔 좀 넉넉히 심을 수가 있지. (문루를 올려
다보며) 너 치가는 벌써 망하고 다 끝장이 났어! 저
높은 문루, 윤나는 벽돌에다 작은 기와에다 반짝
이는 타일로 발라 놓으니, 온 동네에 제일가는 집
안이 이제 천씨라구! 매일 여길 몇 번만 돌고 오
면 밥을 먹지 않아도 마음이 넉넉하다니까. 그 치
가놈, 나도 언젠가 널 이 문루에 매달아 놓고 그
녤 태울 테니. 너 개똥영감에게도 그렇게 대단한
권세가 있었냐구? 암 있지, 누가 주었냐구? 우리
정부가 줬지!

쑤롄위가 등장한다.

쑤롄위 (부른다) 개똥 형님!
개똥영감 보라구, 살찐 돼지가 절로 찾아오는군—
펑찐화 롄위 아제, 이리 앉으세요.
쑤롄위 형님, 후얼은 정말 똑똑해요, 손가락을 꼽으며
　　　　　수를 세는데, 한꺼번에 삼백까지 세더라니까. 될

성부른 나무는 떡잎부터 알아본다더니, 이 아인 자라서 분명 농사꾼은 안 할 거고, 진사쯤은 누워서 떡먹기일 걸. (몸을 돌려 불러낸다) 이리 와 봐요, 여기야 익숙한 곳일 텐데?

치융니엔이 위축되어 쭈뼛거리며 걸어 들어와 멈추어 서서. 본래 자기 것이었지만 이젠 이미 남의 것이 되어 버린 문루에 시선을 고정시키고는 생각이 복잡하다.

개똥영감 (쑤롄위를 끌어당기며) 뭣 하러 저 자를 데리고 왔어?

쑤롄위 땅을 사고 팔려면 쪽지도 오가야 하고, 문서도 써야 하는데, 우리 마을에서 글이라고 쓸 줄 아는 자가 저 자밖에 또 있어야지.

개똥영감 자네가 대충 쓱쓱 쓰면 안 되는가?

수리엔위 나? 춘련 붙이는데, 축사에 붙일 "살찐 돼지 가득하리"를 집안에다 붙이는 사람 아니요! 걱정할 것 없어요. 투쟁은 투쟁이고, 일은 일이고, 저 자를 좀 부리고, 우리 심부름을 좀 하게 한들 어떻소?

개똥영감 그래, 오늘 저 자를 좀 부려 보세. ……치융니엔, 이리 와 앉지!

치융니엔 아니, 아니요, 서 있지요.

쑤롄위 와서 앉으라면 앉지, 말이 많군, 서서 어떻게 글씨를 쓴단 말이야?

치융니엔 그러지요. (보자기를 열고 쓸 것을 꺼낸다)

개똥영감 후얼 어멈, 우리 그 문서는?

펑찐화 벽장 오른쪽 함 속에 들었어요.

개똥영감 어서, 열쇠 가져와요.

펑찐화가 방울이 달린 열쇠를 그에게 내준다.

펑찐화 (예절바르게) 치씨 어른, 물 좀 드세요.

치융니엔 아니, 괜찮아요. 요즘은 아주 살 만한 것 같군요!

펑찐화 공산당 덕분이죠.

치융니엔 그래요, 그래서 지금 또 땅을⋯⋯

개똥영감이 종이를 가지고 와서는 펑찐화를 방으로 들여보낸다.

개똥영감 (이어서 말한다) 손에 돈 몇 푼이라도 있을 때, 비는 건 어차피 또 비는 거니까, 땅을 좀 사 놔야지.

농사꾼은 땅이 밑천이지, 땅이 있으면 뿌리가 있는 거고, 땅이 있으면 희망도 있는 거야. 농사꾼이 땅을 잃으면 거지신세지, 가는 곳마다 괄세라구, 이 이치는— 저자가 잘 알지!

치융니엔   그래요.

개똥영감   (뻐기며) 이 쥐화칭도 형편없는 놈이지, 요 며칠은 뭘 잘 안 먹어, 사료 콩을 몇 주먹씩 줘도, 냄새도 안 맡아, 참기름을 두어 주걱 퍼먹였더니, 겨우 좋아졌어. 렌위, 이 바람 넣어 쓰는 바퀴는 우리 그 구식 바퀴보다 쓸 만해, 바람 흠씬 넣어 놓으면, 그냥 절로 굴러 간다니까, 신기하잖아? 커다란 쥐화칭도 언덕배기에서 앉았질 못해, 그 날은 억지로 버티다 후거리 두 줄을 당겨 끊어 버렸지.

쑤렌위   (되는 대로 말을 받아) 그거야, 말은 용에 속하거든.

개똥영감   그리고 이 문루도, 이렇게 해 놓으니, 훨씬 볼품이 있지?

쑤렌위   그럴 듯해요.

개똥영감   치가, 자네 보기에는 어때?

치융니엔   보기 좋군요.

쑤렌위   (치융니엔에게) 뭘 멍하니 있어? 어서 쓰지 않구.

치융니엔   쑤형, 뭘 판다 했더라……

쑤롄위 마을 동쪽 큰모퉁이땅 세 마지기.

치융니엔 (특별히 느끼는 바가 큰 듯) 큰모퉁이땅……

쑤롄위 당신이야 훤하겠군, 원래 치가네 조상 때부터 내려온 거니까.

치융니엔 (쓰면서 읽어 내려간다) 매매 계약자 쑤롄위는 본인의 형편이 여의치 않아……

쑤롄위 그래, 본인의 형편이 여의치 않아, 맞아. 아낙들은 반 쪽짜리 몸으로, 늘상 일을 제대로 못 한다니까, 애 낳는 것 빼고 딴 건 몽땅 젬병이지, 입 놀려 떠들 줄만 알지, 할 줄 아는 게 없어. 나도 머리나 깎을 줄 알지, 오이 세 개 대추 두 알도 못 가꾸니, 있는 땅도 버려두게 되더라구. 계속 써―

치융니엔 형편이 여의치 않아, 큰모퉁이땅 세 마지기를……

쑤롄위 우물도 하나 있다구 써.

치융니엔 (받아) 알고 있소.

쑤롄위 맞아, 개똥 형님, 잊었소? 그 해 그 노새가…… 형수님, 이 얘기 아시오? 저자가 바로 저 문루에다 우리 개똥……

개똥영감 (위신이 구겨지는 것 같아) 그만 해 둬! 쓰기나 해―

치융니엔 (쓴다) 동쪽으로……

쑤롄위 동쪽으로는 버드나무골까지, 서쪽으로는 옛관아
　　　　길까지…… 에이, 모두 알죠, 내가 몇 년이나 일
　　　　구었지?

치융니엔 (쓴다) 얼마에 판다구요?

쑤롄위 참깨 석 섬.

치융니엔 참깨 석 섬? (쑤롄위에게) 그렇게 싸게!

쑤롄위 싸긴 싸지, 우린 형님 동생 사이인데 할 수 없지.

치융니엔 (개똥영감에게) 너무 싼 걸!

개똥영감 말이 많네? 보자 하니 눈에 불나? 그럼 네놈이
　　　　살 텐가! 쓰라는 대로 쓰면 되는 거지, 중뿔나게
　　　　참견하지 말라구! 참깨 석 섬이라 쓰기나 해.

치융니엔 (애석해서 고개를 흔들며, 쓴다) 참깨 석 섬에……

개똥영감 내 이름을 써야지, 천허샹이라구!

치융니엔 (쓴다) 절대로 번복하지 않을 것이며, 혹 말만으
　　　　로 증빙할 수 없을까 하여, 이 문서를 적어 증거
　　　　로 삼는다. 작성자, 쑤롄위, 천허샹. 대필자 치융
　　　　니엔. 두 사람 도장 있소?

개똥영감 도장? (고개를 흔든다)

치융니엔 그럼…… 손도장을 찍읍시다! (침착하게 지니고 온
　　　　인주통을 연다)

개똥영감과 쑤롄위는 손도장을 찍고, 치융니엔도 도장을 찍는다. 개똥영감은 그 희한한 네모 도장을 한참 쳐다보더니, 기쁘기도 하고, 아쉽기도 하다.

치융니엔　여기, 중개인이 빠졌군요—

개똥영감　중개인?

치융니엔　뭘 사고 팔거나 빌리고 저당 잡힐 땐 모두 중개인이 있어야 해요.

개똥영감　알고 있어.

쑤롄위　아무나 데려 오지, 그 사람, 촌장 리완쟝 어때?

개똥영감　내 가서 데려오지—

쑤롄위　(일부러 붙든다) 뭐 당장 없으면 어때, 이건 주유가 황개 때리듯, 서로가 원해서 하는 일인데— 서로 원해서 하는 거죠?

개똥영감　물론 서로 원해서 하는 거지—때리는 것도 맞는 것도 다 원해서라니까.

쑤롄위　그럼 됐지 뭐, 언제 촌장 만나면 한 마디 하고, 우리처럼 손도장 하나 찍으라지. 먼저 리완쟝이라 써넣기나 하쇼.

치융니엔이 쓰기를 마치고, 사용한 물건들을 조심스레 싼다.

개똥영감　여보게 쑤롄위, 우리 가서 땅이나 한번 둘러 보세!

쑤롄위　형님, 예전에 우리 형수님 맞을 때보다 더 급하네, 우물 가서 숭늉 달라겠소, 갑시다.—

개똥영감　(그를 가게 하려는 듯) 한 걸음 먼저 가게, 내 금방 따라갈 테니, 내 저…… 치가하고 할 얘기가 좀 있어.

쑤롄위　큰모퉁이땅에 가서 기다리리다. (퇴장한다)

개똥영감　(얼른 자기 감정을 정리하지 못해) 치…… 치쟝꿰이!

치융니엔　(깜짝 놀라서) 아니, 아니, 천만에요, 난 저…… 시키는 대로 할 뿐이요!

개똥영감　이 땅이 살 값어치가 있겠소?

치융니엔　(기운을 내서) 물론 값어치가 있구말구! 그 땅은 모래 반, 진흙 반이라, 가뭄에도 장마에도 다 잘 견디는 땅이요, 마을에서 멀리 떨어지지도 않았고, 근데 이렇게 싸게 내놓다니 좀 이상해!

개똥영감　나도 좀 이상하단 생각이 들어서.

치융니엔　(생각에 잠기며, 모든 걸 잊은 듯) 음, 이 쑤씨는 이발통 메고 오만 곳 다 돌아다니니, 소식이 빠를 텐데, 혹시…… 삼차 세계대전이라도 일어나려는 거 아닌지?

개똥영감 뭐라구? — 세상이 바뀌길 바라는 거야?

치융니엔 아니, 아니요, 아무 말도 안 했소, 아무 말도 안
했다니까! (가려고 한다)

개똥영감 잠깐!

치융니엔 제발, 제발 좀 봐 주어……

개똥영감 난 아무 말도 듣지 않았어. 됐소? 우리 다른 얘
길 합시다. …… 저 지금은— (문루와 뜰을 가리키며)
어쨌든 당신에게도 소용이 없을 테니, 아까
그…… (모양을 그리며) 조그만 갑, 그리고 그 네모
난 거, 나한테 주시요. 난 쓸모가 있을지도 모르
니. 어때? 치……쟝페이.

치융니엔 (알아들은 듯) 이건, 당신은 쓸 수가 없는 거
요……

개똥영감 뭐라! 난 왜 쓸 수 없다는 거지? 너만 쓸 수 있
다는 건가?

치융니엔 여기엔 내 이름이 새겨 있소—치융니엔이라구.

개똥영감 내가 그걸 깎아서, 당신 이름을 지워 버리고,
다시 내 이름을 새기면 될 거 아니야? 천허샹이라
구.

치융니엔 보시오, 나한테서 가져갈 건 모두 가져 갔잖아,
이건, 남겨두고 싶어, 혹 혹 다시 소용이 닿을지도

모르니까.

개똥영감 이 자식, 아직도 그딴 마음을 품고 있어!

치융니엔 아니요, 그저, 이웃친지들이 내게 무슨 문서라
도 써 달라고 할 때, 그래도 이걸 써야 하니까, 오
늘같이 말이요. 자, 이만 가겠소— (빠져 나간다)

개똥영감 흥! 모셔 둬, 모셔두었다 장이라도 담가! 쬐끄
만 갑에 쪼끄만 돌 덩어리가 뭐 별 거라구? 다음
장에 가서 한 다발 새기면 그 뿐이지!

소리를 듣고 펑찐화가 등장한다.

펑찐화 누구하고 다투는 거예요?

개똥영감 치융니엔, 그 놈은 죽지도 않아!

펑찐화 사람은 다 한 때 좀 큰소리치는 거죠, 그때는 얼
마나 위풍이 당당했는데, 지금은 꼭지 떨어진 오
이 격이라니까! 됐어요, 아무리 대단해도 목 떨어
지면 그만이지.

개똥영감 이 놈이 아직 꿈을 꾸고 있어! 후얼 어멈, 내 저
기…… (신이 나서) 우리 세 마지기 땅 좀 보고 오
리다.

말 울음 소리가 들린다.

개똥영감 잊지 말고 우리 쥐화칭에게 풀도 좀 주고 사료
도 좀 갖다 주구려, 우리 개똥마님!
펑찐화 당신이 그리 애지중지 하는 걸 잊을 수 있겠어요?
개똥영감 내 땅이나 보고 오리다. (방울이 달린 열쇠꾸러미를
던지니, 찰캉 소리가 난다)

7

발 밑은 천씨네 무덤. 초생달이 몽롱한 빛을 내리 쏟는다. 가
을벌레 두어 종이 울어댄다.
개똥영감이 비틀거리며 걸어온다.

개똥영감 땅을 보러 가야지, 땅을 보러, 내 땅 보러, 내
땅 보러 가야지! 잊어버릴래도 잊히질 않아, 이건
마지막으로 가 보는 거야…… 술 한 병, 가득 한
병, 그 친구 한잔, 나 한잔, 나 한잔, 그 친구 한잔,
요 작은 술병이 물구나무 설 때까지, 술도 다 되
고, 사람도 취하고, 쥐화칭도 없어졌고, 고무바퀴
수레도 없어졌고, 땅도 없어졌어……

각기 왼쪽과 오른쪽 스포트라이트 속에, 치융니엔과 천따후
가 얼굴을 드러낸다.

치융니엔 십년은 하동(河東), 십년은 하서(河西)라더니,
양지라고 언제나 한낮이겠나. 보라구, 좋은 날 사
흘 못 가서 뒤죽박죽 됐어. 그래 엉망, 엉망으로
되어 가라지, 엉망으로 죽을 쑤든 말든!

천따후 (동시에) 여전히 깨가 어떻구 곡식이 어떻구만 하
고 계시니! 아버지, 새로운 얘기 좀 하실 수 없어
요? 네, 말씀해 보세요. 얘길 하노라면, 왜 아버지
가 평생 엉덩이 치켜들고 신령님께 잘살게 해 달
라고 빌었어도, 결국 돈을 못 벌었는지 알게 될
거라구요. 다행히도, 전 아버지처럼 하지 않아요
—눈이 뒤꼭지에 붙어 있진 않으니까!

좌우의 두 사람이 사라진다.

개똥영감 우리 땅이 다 없어졌어요, 아버지! 그건 내 술
이 아니라, 리완쟝이 가져온 술이에요. 그가 한
병 가득 받아 온 거지요. 리 촌장은 좋은 사람이
에요, 은인이지요, 이렇게 체면을 세워 주려 애쓰

니, 마시지 않을 수 없지요. 그 친구 한잔, 나 한잔, 나 한잔, 그 친구 한잔, 이 작은 술병이 물구나무를 서니까, 술은 다 됐고, 우린 취했지, 그리고 아무것도 남은 게 없어! 없는 게 아니고— 촌장 말이—상부의 지시라지, 우리 마을은 완전히 "붉은 마을(一片紅)"³이 돼야 한다구. 남들 다 혁명하는데, 개똥영감 혼자만 "검은 지주(黑膏藥)"⁴로 남아서야 되겠냐구? 안 돼지, 전쟁에서 앞장섰고, 토지 개혁에선 땅을 받았는데, 나 뒤떨어진 일 없어—내가 말했지—하지만, 사람이고 말이고 땅을 돌려준다 하더니, 큰 덩어리로 묶어 모두에게 돌려준대, 자네 온 몸이 무쇠라도 못을 몇 개나 만들어내겠어? 한 사람이 몇 백 개의 호미 자루를 지휘한다는 게 될 말이야? 잊지 말라구, 예전엔 친형제라도 한 이랑 모 땜에 박 터지게 싸웠거든! 어쨌든 좋다구,—그가 말했지—그냥 꾹 참고 있으면, 멍청한 우리 농부들도 순식간에 좋은 이층 집에 살고, 전기에 전화 들어오고 우유 마시고 과

---

3 "一片紅"은 토지개혁으로 분배했던 토지를 통합하여 합작사로 전환하던 시기의 혁명운동 구호.

4 "黑膏藥"은 지주 등 반동적인 낙후분자를 가리킨다.

자 먹으며 지낼 테니 하더군. 내가 그래도 싫다 했더니, 그 사람이 날보고 속 검은 지주, 땅만 아는 벌레라나. 도끼 석 자루로도 패지 못할 느릅나무 고목처럼 고집불통이라나, 머리 속엔 돌멩이뿐이라나. 내 급해서, "검은 지주"라도 좋다 했더니, 그가 그럼 "지주" 비판대회를 한대요! 어떻게 비판을 하느냐고 물었더니, 내가 새로 산 큰모퉁이 땅하고, 또 (발 밑을 가리키며) 이 무덤이 있는 호로주둥이땅까지 다 묶어 내놓고, 변두리의 부스러기 땅들로 바꾸어 준대. 검은 고약을 발가락에나 붙이면 몰라, 가슴 한복판에다 떡 붙여둘 수는 없으니까 ─웃기지 마, 딸은 멀리 있을수록 좋고 땅은 가까울수록 좋다는 거, 삼척동자도 다 알지! 게다가 그 땅들은 모두 박토에다 모래땅이라 한 말 심어두 여덟 되밖에 못 거두는 곳인 걸, 절대 안 바꿔! ─바꾸지 않는다면 다 귀속시킬 수밖에, 상부에선 잘 해결됐다는 소식만 기다리고 있다고. 자 마셔요! ─마시지 뭐! 이때 마누라가 끼어들더군: 농사꾼으로 살려면 대세를 따라 물 흐르는 대로 살 줄 알아야지, 남들 다 저렇게 하는데, 자기 혼자만 별나게 고집을 부려 튀어 봐요! 완장 아제도

낮밤 없이 뛰어 다니는 게 다 누굴 위해서에요? 우리 좋으라고 그러는 거 아니에요? 듣기 싫은 말부터 하죠, 당신이 합작사에 들어오지 않으면, 우리 갈라서요, 후얼하고 나 둘은 들어갈래요. 당신 따라 "지주"는 안 해, 이봐요, 부인네들도 회의를 열었어요. —그래도 아주머니가 잘 알아들으시네, 개똥 형님, 괜히 우물쭈물하지 말고, 이렇게 하면 이제 잘살게 된다구요. —말로는 내 귀를 공격하고 술로는 내 마음을 공략하고, 집안 귀신이 바깥 귀신하고 같이 안팎에서 협공을 하는데야 별수 없지, 나도 합작사로 들어갈 수밖에 —아버지, 그 쥐화칭도 아쉬운지 떠나질 못하네요, 제가 널판 석 장 이어서 새로 만들어 준 버드나무구유를 버리고 떠나기가 아쉬운가 봐요! 이 땅도 없어졌고, 아버지, 그 놈의 강아지는 괜히 먹었어요! 죄송해요…… (소리를 잃고 땅에 엎드러진다)

치융니엔이 걸어온다. 멈춰 서서. 그의 등을 두드린다.

치융니엔 새벽이야, 가을바람이 써늘해서 옷 속까지 파고 든다구, 얼지 않게 정신차려.

개똥영감 (의식이 몽롱한 채) 아버지, 아버지, 저 개똥이 왔어요.

치융니엔 개똥이……

개똥영감 (잘 보이지 않는 듯) 누구야?

치융니엔 여보게, 어때? 이 땅 차지해서 아직 제대로 뭐 심어 보지도 못했는데, 유모가 아기 안고 있어 봤자지— 남의 거니까! 내 말하지 않았던가, 인연 없는 건 내게 되질 않는다고, 본래……

멀리서 손전등 불빛이 반짝이더니, 그 두 사람을 비춘다.

개똥영감 (알아보며) 너였구나, 더러운 지주놈! 출상하는 집은 상여 크다고 마다 않고, 불 피우는 사람은 불길 높다고 마다 않는 법, 땅이 없어졌다고—네 놈이 한 풀었냐? 썩 꺼져! (치융니엔의 뺨을 한 대 갈겨 올린다)

리완쟝이 등장한다.

리완쟝 잘 때려줬어요! 개똥 형님, 우릴 비웃다니! 내일 대회를 열어서, 류 면장이 형님에게 굉장한 꽃송

59

이를 달아준대요! ―치융니엔, 너 고분고분하게 굴어!

치융니엔 네.

리완쟝 괜히 엉뚱한 계산하다가는 국물도 없어. 우린 잠시도 너에 대한 경계를 풀지 않고 있어, 혹시 무슨 기미만 있어도 널 잡아 족칠 테니까!

치융니엔 알겠소.

개똥영감 (신이 나서) 동생, 자네가 이 나쁜 놈을 꼼짝 못하게 하면, 자네가 젤로 영웅이네, 내 평생 자네 시키는 대로 하지.

리완쟝 우리 형님, 이제 돌아갑시다. 내일 대회도 열어야 하고―

개똥영감 (생각하더니) 헌데, 난 대회 같은 거 필요 없어, 영광도 소용없고, 난 땅하고 말만 주면 돼, 수레하고……

리완쟝 형님, 그렇게 돌이킬 수는 없어요.

개똥영감 돌이킬 수는 없다구?

리완쟝 그래요. 시간도 꽤 늦었고, 형수님이 집에서 기다릴 텐데, 어서 돌아가시우.

개똥영감 집으로, 돌아가― (갑자기 몸을 돌려) 땅도 잃고…… 아버지! (머리를 땅에 대고)

이때 치융니엔이 내내 한 구석에 쪼그리고 앉아 보고 있다.

리완쟝 치융니엔!

치융니엔 네.

리완쟝 뭘 정신 빼놓고 있나? 저 사람 업고 마을로 돌아
간다.

8

몇 년 후 가을, 농촌 길거리에서. 한바탕 히히히 하는 얼빠진
웃음소리. 머리가 이미 희끗희끗해진 개똥영감이 미친 듯이
달려 나온다. 펑찐화는 손에 네모난 약첩을 한 꾸러미 묶어
들고 그를 쫓아 나온다. 그를 의원에게 데리고 갔다 오는 길
이다.

펑찐화 후얼 아범, 마구 뛰어 달아나 버리면 어떻게요?
말 좀 들어요—

개똥영감 문신도 죽었고, 빗자루 귀신도 쓸어버렸지! 어
디서 굴러 온 아낙이 함부로 굴어? 난 너 몰라!
(달려간다)

펑찐화 (그를 붙잡으며) 논 쪽으로 가지 말아요, 방금 비가

와서 빠지면 온통 진흙투성이가 된다구요, 말 좀
들어요, 큰길로 해서 갑시다.

개똥영감   이 아낙이, 왜 날 붙잡고 그래……

펑찐화   제발 이렇게 빌어요, 아무 데루나 마구 뛰지 말고,
집에 가서 약 먹어요.—

개똥영감   붙잡지 마……

펑찐화   당신 병이—

개똥영감   나 큰 거 좀 봐야겠어!

펑찐화   (어쩔 수 없다는 듯이) 아휴, 그럼 여기서 해요……

개똥영감   그렇게 수월하게— 바로 여기다 하라구, 몹쓸
년! 금분 은분도 인분만 못한 법이여, 한번 누면
세 포기는 살리는데, 아무 데서나 누라구? 옛날부
터 "고양이는 하늘을 더럽히지 않고, 개는 땅을 더
럽히지 않는다"잖아, 난 내 "큰모퉁이땅"에 가서
할 거야.

펑찐화   이제 "큰모퉁이땅"은 없어요.

개똥영감   내 "호로주둥이"에 가서 하지.

펑찐화   그것도 없어요.

개똥영감   달아나 버렸어? 날아가 버렸어? 땅도 날개가 달
렸나? 이 아낙이…… (얼빠진 웃음, 혼자 중얼거린다)
얼마나 좋은 땅인데! 한 마지기 또 한 마지기, 하

느님이 우리 같은 보통 사람들에게 땅을 주신 건
데, 네놈들이 이렇게 뺏어버리더니, 벼락맞을! 그
냥 버려둬서 잡풀이 뒤덮이고, 그냥 굴려서 풀더
미가 돼 버리고, 미쳐버린 풀들이 싹들을 죄다 죽
였어, 이 자식놈들이 조상님들께 고개를 들 수 없
게 됐어! 보라구, 때가 되면 염라대왕도 용서치 않
을 거야, 용서치 않을 거라구……

쑤롄위가 광주리를 짊어지고 등장한다.

쑤롄위 개똥 형님, 요즘은 좀 괜찮수?

개똥영감 좋구 말구, 냄비도 부셔버렸구, 나무도 베어버
렸구, 이게 도리어 낫지, 엉덩이는 다 내놓고 발만
감싸는 꼴이라— 아예 깨끗하지! 니가 그랬잖아,
마누라와 담배쌈지만 빼고 다 공동의 거라구?

쑤롄위 그건 대대장 리완장이 한 말이여.

개똥영감 넌 누구지?

쑤롄위 부대대장 쑤롄위.

개똥영감 (얼빠진 웃음으로) 자네 아직도 땅을 팔 텐가? 참
깨 석 섬에— 싸구 말구! 제발로 찾아든 살찐 돼
지요, 지나가던 재신(財神)이지, 참깨 석 섬으로

횡재했지. 또 땅 팔려구? 좀 기다리게— 내가 좀
급한 일이 있어⋯⋯

쑤렌위   (그를 붙잡으며) 개똥 형님, 온데 사방 돌아다니지
말고, 내 말 좀 들어 봐요⋯⋯

개똥영감   네놈도 이 아낙하고 같은 병이구먼, 이봐 (쑤렌
위 귀에다 대고) ⋯⋯

쑤렌위   허! 그럼 빨리 가야지—

개똥영감이 뒤뚱뒤뚱 뛰어 내려간다.

펑찐화   (괴로운 듯 고개를 흔들며) 다른 사람들은 그래도 좀
알아보는데, 나만은 통 몰라봐요. 낮에는 미친 사
람이고, 밤에는 죽은 사람이니, 내가 사는 게 도대
체 사는 게 아니에요. (흐느낀다)

쑤렌위   (위로할 말이 없어) 아주머니, 이건 완두콩인데, 한
오십 근 되니, 우선 좀 잡수시오. (광주리에서 포대자
루 하나를 꺼내 건넨다)

펑찐화   간부들 신세가 많습니다. 늘 염려해 주시니.

쑤렌위   아직 그 사람에겐 말하지 마쇼.

펑찐화   누구요?

쑤렌위   리완쟝.

펑찐화 왜요?

쑤렌위 (비밀스레) 생산량 속이고 나눠 먹는 것이거든.

펑찐화 그럼 우린 필요 없어요.

쑤렌위 허허, 정말로 리완쟝이 이끄는 모범 공사원이로
군. 그 사람은 다짜고짜로 다 가져가는데도, 당
신은 당신대로 말라죽게 고지식하니, 난 이리 보
나 저리 보나 사람도 아니로군, 이 양식은 우리
늙고 병든 형님께 드리는 걸로 칩시다. 됐죠?

펑찐화 사람이 궁하다보니 체면 차릴 형편이 아니네요,
주세요. 어쨌든, 저 완쟝 아제는 정말 확실한 사
람이에요, 물 한 그릇도 반듯이 뜰만큼 만사가 공
평하니, 조금도 자기 이익을 보려 하지 않거든.
당신들도 모두 그 아제 같기만 하면!

쑤렌위 그처럼만 하라구? 남의 앞에 서려면 고생이지, 고
생이구말구, 공사 사람들 볼 때는 그래도 상을 좀
펴고 있지만, 자기는 집이라곤 초가집에, 집이 집
같고 사는 게 사는 거 같아야지, 서른이 훨씬 넘
었는데 색시도 못 얻구. 밖에서 정신없이 바쁘게
돌다 들어가면, 또 눈 지지 감고 부뚜막의 재 긁
어내야 한다구, 정말 고생바가지지.

펑찐화 (입을 가리며) 너무 추켜올려서 거기밖엔 사람이 없

는 거 같네! 요전 날 현에 회의 갔다 오는데 보니까, 주머니 넷 달린 국민복을 턱 입고 있는 모습이 정말 굉장한 간부 같아 보이더라니까요! 모자 밑에 훤하게 깎은 머리에 큼지막한 눈알이 부리부리하고 정말 멋지던 걸, 어쩌면…… (자기도 모르게) 좋은 사내는 좋은 마누랄 못 만나고, 형편없는 사낸 꽃 같은 계집을 얻는다더니……

쑤렌위 (그녀를 보며, 뜻밖에 발견한 듯이) 그래요?

펑찐화 (부끄러워 얼굴이 붉어지다, 다시 상심하여) 보세요, 자기 마음도 아직 제대로 붙잡고 있지 못하니! (자루를 가리키며) 이걸로도 새 양식 나올 때까지 못 견디면 어쩌죠?

쑤렌위 아주머니, 곧 가을인데, 빵을 베고 누워서 굶을 수야 없잖아요. 눈앞에 기장도 누래졌고, 옥수수도 껍질이 희끗희끗해졌으니, 가을에 고양이허리 좀 하는 게, 봄에 한 바퀴 도는 것보다 낫지요. 이런 때에 어떤 사람인들 밭에 나가서 몇 됫박 콩서리라도 하지 않겠어요? 가을엔 마소도 입마개 벗기고 길가에서 주전부리를 시킨다는데. 아주머니도 밤중에 광주리 지고 나가서 밭 좀 돌며 부스러기 이삭이라도 좀 줍지 그래요?

펑찐화 여지껏 남의 것 훔쳐 본 일이 없어서, 잡힐까 봐 겁나네요.

쑤롄위 이게 어디 훔치는 건가? 위에서도 이런 건 그냥 좀 집어 가는 정도로 여겨요. 결국 어쩌구저쩌구 하다가 지나가게 마련이죠. 우리 고집불통 리완쟝만 빼고는 누구하고 부딪쳐도 다 눈 감아주거든요.

펑찐화 또 남 얘기하네요.

쑤롄위 그렇죠, 간부들이 모두 그 사람처럼 콩 심은 데 콩 나고 팥 심은 데 팥 나는 식이면, 우리 공사원들도 못 살지요.

펑찐화 (금새 시원스레) 다 당신 같으면?

쑤롄위 다 나 같으면? 아예 가난에, 입은 바지까지 벗어 팔아야겠지!

펑찐화 그게 오히려 쉽겠군.

쑤롄위 뭐라구요?

펑찐화 밭에 가서 일할 필요도 없이―

쑤롄위 아주머니, 농담도 잘 하시우!

이때, 헷헷 하는 미치광이 웃음소리가 농가의 밭 있는 데서 들려온다. 쑤롄위가 소리를 듣고 달려간다. 펑찐화가 이맛살을 찌푸리고 한숨짓는다. 얼마 후, 쑤렌위가 달려 와—

쑤렌위 아주머니, 얼른 집에 가서 우리 개똥 형님 바지 좀 빨아야겠어요.

9

밤. 비바람이 막 지나가고, 뇌성이 점차 가라앉으며, 희미한 달빛이 비춘다. 논밭에 잎사귀들이 부스럭부스럭 소리를 내고, 가끔 옥수수대 쪼개는 소리가 난다.
리완장이 큰 소리로 외친다. 광주리를 멘 사람의 손목을 꽉 붙잡고, 캄캄한 검은 장막 속에서 밝은 곳으로 나온다. 잡힌 것은 바로 그녀— 펑찐화.

펑찐화 ……완쟝 아제, 나예요!
리완장 누구든 상관 안 해요, 난 그저 오늘밤이 일곱 번째란 것만 알 뿐이요. 광주리 메고 함께 대대 본부로 갑시다. 내일 아침 비판대회를 열어서, 그대로 밝힐밖에.
펑찐화 비판에 붙인다구?
리완장 비판에 붙이지 않고 넘어갈 성 싶소?

펑찐화 아제, 높은 양반이 좀 봐 주면, 넘어갈 수 있잖아!

리완쟝 한 번 그렇게 넘어가면, 점점 염치가 없어져요.

펑찐화 누가 염치도 없단 말이야?

리완쟝 누구든 훔친 사람은 염치가 없는 사람이지요. 이런 사람이 많아서 아예 훔친다고도 않고 그냥 좀 집어간다든가 가져간다고 하는 지경이니— 또 지금 당신네들이 다 집어가고, 아무것도 남지 않으면, 추수 후엔 위에다 뭘 내고, 공사원들은 뭘 먹으라구요?

펑찐화 (필사적으로) 날 잡아 잡숴— 날, 이 염치도 없는 늙은 년 잡아 잡수라고!

리완쟝 우선 멋대로 할 생각 말고, 적당히 넘어갈 생각도 마시오. 일본 놈들이 멋대로 하지 않았어요? 환향단은 적당히 넘어갔지요? 허나 리완쟝은 열여섯부터 총대 메고 민병 노릇하면서도 겁낸 적 없어요.

펑찐화 공로가 크지! 멋대로 하는 것도 무섭지 않고, 적당히 넘어가는 것도 무서울 거 없겠지만, 굶은 사람은 무섭지 않소? 이 펑찐화가 열아홉에 이 마을에 들어와서 언제 재물 때문에 염치없는 짓 하는 것 본 적 있소? "붉은 마을" 운동할 때, 당신 도와서 "검은 지주" 고발했지. "검은 지주"로 고발하고 몇 해 안 되어, 그 늙은이는 미쳐버렸어, 먹고 마시는 거 외엔 인사불성이라구, 내 밤낮으로 이걸 견디느라 버티고 있는데, 벌써 지칠 대로 지쳤어! 당신까지 내가 염치없다구? 나 벌써 염치 버린 지 오래요, 쑤렌위가 준 염치없는 양식도 먹었고……

리완장　아니?

펑찐화　괜히 의심할 거 없어요, 내 누구한테나 받아먹진 않으니까, 그건 생산량 속이고 몰래 나눈 거였지.

리완장　흥, 잘 한다 쑤렌위!

펑찐화　나보고 염치없다구요? 나야말로 당신 잘못 봤네! 비판 같은 거 할 필요도 없어요, 반쯤 죽어서 사는 것 같지도 않다구. 이런 나날도 이제 지긋지긋해요, 이대로 우물에 뛰어들면 그만이지, 시체 놓고 비판하든지 말든지 해요…… (길게 울부짖는다) 아이구 어머니—

리완장　아주머니, 이러지 마시오, 한밤중에, 정말 소름 끼치는군……

펑찐화　난 염치도 없어, 염치도 없다니까, 살 방도가 없어…… (먼저는 호소하듯, 나중엔 전통 곡성으로) 다듬이돌 같은 내 신세, 이리 얻어맞고 저리 얻어 맞아 반들반들해졌네, 아이구 어머니—

리완장 아주머니, 아주머니, 내가 염치없소, 그래도 안 되겠소?

펑찐화 (눈물을 훔치며 일어선다) 그래, 당신이 염치가 없지! 당신 때문에 온 마을 사람들이 먹을 것도 땔 것도 없이 지내는데, 불쌍하지도 않아? 그러고도 위세를 부리니, 사람들이 당신 보고 동전 한 푼 값도 안 된다 하지.

리완장 (그녀 대신 광주리를 메고) 아주머니……

펑찐화 말끝마다 아주머니 아주머니 하지 말아요, 되게 듣기 거북하네. 나보다 나이도 많으면서……

리완장 개똥 형님이 계시니—

펑찐화 지금 그이 얘긴 꺼내지도 말아요!

리완장 다시 말하지만, 앞으론 봐 주는 일 없습니다.

펑찐화 아니, 또 올 거예요—

리완장 또 온다구요?

펑찐화 와서 날 잡도록, 그래서 당신 그 얼굴이나 실컷 보려구, 그렇잖음 언제나 봐? 얼굴은 노상 물처럼 칙칙해 가지구, 누가 동전 200꾸러미쯤 떼먹고 도망이라도 갔나? 통 웃는 모습이라곤 볼 수가 없으니.

리완장 (할 수 없다는 듯) 허허!

평찐화 덧니가 다 보이네.

리완장 이젠 오지 마세요! 이럼 난 간부 노릇 못해요.

평찐화 그러게 와야지!

리완장 아니, 개똥 형님이 병이더니, 개똥 마님도 병인가, 웬일이오?

평찐화 병이지.

리완장 역시 미친 병이오?

평찐화 천만에, 굶주린 병이지.

리완장 네?

평찐화 굶주렸다니까. 굶주려서 잠을 못 자고. 잠이 들지 않으니 쓸데없는 생각만 하지, 우리 마을에 사는 누구 생각…… 당신은, 서른도 넘은 사람이 집안에 여자도 없이, 생각도 안 나?

갑자기 침묵. 비 듣는 소리.

평찐화 또 비가 오기 시작하네, 젖는 건 싫어, 여기 뒤집어 쓸 주머닐 가져왔으니, 빨리 와서 비나 가려요.

리완장은 나무토막처럼 침묵한다. 평찐화가 달려와 주머니로 그를 위해 또 자기를 위해 비를 가린다.

펑찐화 난, 정말 못 참겠어…… (리완쟝의 품속에 뛰어든다)

주머니가 꼭 맞춘 듯 두 사람의 머리를 가려준다.

10

저녁. 마을 거리. 개똥영감이 짐승 사료통 하나를 들고 등장
한다.

개똥영감 사람이나 짐승이나, 다 새 걸 먹기 좋아하지.
먼저 짐승 구유통을 부셔야 해, 구유통은 꼭 잘
부셔서 쉰내가 나지 않게 해야 돼. 그 담엔 풀을
주되, 건초는 잘게 부셔야 해. 작은 풀이라도 작
두질 세 번만 해서 주면, 사료가 부족해도 살이
찌거든. 사료 줄 때도 잘 볶아야 해, 볶아야 향기
롭거든. 물을 뿌려 줄 때는, 깨끗한 물이라야지,
거지 쫓아 보내듯 구정물을 뿌리면 안 된다구. 건
초는 살을 찌게 해 주고, 사료는 힘이 나게 하고,
물은 정신이 나게 하지, 적당히 잘 섞어 주고서,
온돌에 누워서 들어봐—히힝, 히히힝…… 참, 말
은 밤에 건초를 주지 않음 살이 찌질 않아! 들어

73

보라구, 우리 쥐화칭 구유통이 얼마나 멋진지! 붉은 술 달린 채찍을 한번 휘두르면, 쥐화칭이 발굽을 들고 정말 경주라도 하듯 바람처럼 달리지…… (어느 한 곳을 유심히 쳐다보더니) 말랐어, 많이 말랐어, 갈기도 안 땋고, 털도 안 빗겨줬나 봐— (멀리에 손짓을 하며) 얘야, 그 수레 연결끈을 꽉 매서 목을 늘어뜨리게 해 줘라. 듣고 있니? 일은 곤하고, 사료는 부족하고, 제대로 대접을 못하니 여위지 않구 배겨? 다들 아무렇지도 않은 모양이지만 난 마음이 쓰려. 사료도 내가 볶아 놓았지. 내 양식에서 퍼내어 여린 불로 구웠지 (한 알을 먹어 보고) 향긋하군, 착하지, 기다려 조금만, 내가 간다……

어느 집 앞. 방안에서 웃고 즐거워하는 소리, 외치는 소리가 들려온다. "……신랑신부 맞절. 신방에 드시오!"

쓰렌위가 방에서 나온다. 이미 좀 술기운이 돌았다.

쓰렌위 어, 우리 개똥 형님, 오늘 여기는 오실 데가 아닌데!

개똥영감 안 돼? 와야지, 내 그 놈이 보고 싶어서……

쓰렌위 그래도 안 돼요!

개똥영감 내 들어가서 좀 보게 해 줘—

쑤렌위 형님이 들어가시면 엉망이 된다니까……

개똥영감 우리 쥐화칭 좀 보게.

쑤렌위 쥐화칭? (비로소 알아듣고) 깜짝 놀랬네— 쥐화칭 여기 없어요.

개똥영감 여기가 짐생들 우리 아니던가?

쑤렌위 여긴 신방이에요. 혼례를 올리는 신방이라구요, 어여 갑시다.

개똥영감 누가— 누가 장가 들었는데?

쑤렌위 (머뭇거리다) 리완쟝이요—

개똥영감 완쟝 아우가, 절반은 흙에 들어간 사람이 장가를 가다니, 보통 일이 아녀. 그 친구 몇이더라?

쑤렌위 서른 여덟이요.

개똥영감 거 참 공교롭군, 생각나나? 내가 찐화를 데려올 때도 꼭 서른 여덟이었거든.

쑤렌위 (일부러 떠 본다) 찐화 형수님은 지금?

개똥영감 (겨우 생각해 낸 듯) 그 사람? 말하지 않았던가…… 장에 갔다구?

쑤렌위 참 그랬죠, 장에 가셨죠!

개똥영감 이젠 올 때가 됐어.

쑤렌위 그래요, 가십시다.

개똥영감　아냐, 완쟝이 쟝가를 드는데, 잔치 술 한 잔은 걸치고 가야지.

쑤렌위　어이구, 안 되지, 참, 쥐화칭 보러 간다고 하잖았어요?

개똥영감　(작은 소리로, 비밀스레) — 여위었어, 그 미끈하게 통통하던 엉덩이조차 울퉁불퉁 뼈가 불그러졌어! 사료를 주러 가는 참이야, 구수하지— 함부로 손대지 말라구, 자네 주려는 게 아냐!

쑤렌위　알아요, 내게 주는 게 아닌 줄. (쫓아 보내려고) 형님, 말 먹이는 곳은 저 쪽이에요.

개똥영감　(방향을 알아보고) 천만에, 내 문루가 저 쪽에 있고— 내 "큰 모퉁이 땅"은 저 쪽에 있고— 내 쥐화칭은 저 쪽에 있고, 그치? 누가 나보구 정신 나갔대, 내 훤히 꿰뚫고 있는데! 착하지, 내가 왔다, 내가…… (퇴장한다)

쑤렌위　형님 살펴 가시우, 칠흙 같이 어두운데다 길도 울퉁불퉁합디다. (한숨 돌리며, 집 안을 향해 소리친다) 그만하면 되었네, 시간도 이르지 않아, 여기두 쉬어야지, 이제 그만 헤어지세!

집 안에 사람들이 흩어져 돌아가고, 펑찐화가 안에서 나온다. 옷차림과 치장한 것을 보니 정말 새 신부 같다.

펑찐화 수고 많으셨어요, 렌위 아제.

쑤렌위 잘못된 것 같은데? 이제부터는 오라버니라 불러야 할 걸, 내가 개똥 형님보다는 아래지만, 완장보다는 위니까.

펑찐화 아아, 맘이 편칠 않아요! 여기까지 왔지만, 아직두 이렇게 된 게 괜찮은 건지 어쩐지 모르겠네요.

쑤렌위 그런 대로. 생각해 봐, 그만한 사유가 있다고 인정되지 않았다면, 인민공사에서 이혼 결정을 했겠어? 개똥 형님은 벌써 그리 된 지 오래고, 다른 사람까지 끌어들일 필요 있겠어? 그런데 말야, 이 렌위 눈에 모래가 든 것도 아닌데, 멍청하게 형수가 완장을 그렇게 생각하고 있다는 걸 몰랐다니!

펑찐화 관 둬요, 얘기가 또 삼천포로 빠지네. 내가 여전 마음을 못 놓는 게 그 영감하고 아이지요. (방을 가리키며) 저이한테도 얘긴 해 놓았어요. 내가 천씨 집에서 십여 년을 살았는데, 정말 어쩔 수 없어서 당신에게 시집은 왔지만, 천씨도 돌보아야 한다고요. 이젠 연자방아에다 맷돌까지 다 갈밖에요. 마을에 이런 저런 일들 있을 때, 천씨네 영감

77

하고 아이하고는 특별히 좀 봐 주라고요. 앞으로 살아가는 데 어려운 일이 많겠지만, 아예 모르는 척할 수는 없다구요.

쑤롄위 그러진 않을 거요, 완장 아제는 참 좋은 사람이라고 직접 말하지 않았소?

펑쩐화 말 막지 말고 끝까지 들어 봐요, 그이가 한 마디 대꾸를 하는데 난 그만 기절할 뻔했다니까요.

쑤롄위 뭐라고 했기에?

펑쩐화 (흉내를 내면서) 알았어, 당신이 잘 받들구려, 그 영감하고 아이하고 하나는 내 장인인 셈치고, 하나는 처남으로 치자구 하지 않겠어요? 내가 —쓸데없는 소리 작작해요! 했죠.

방안에서 리완장이 "쩐화. 쩐화"하고 부르는 소리가 들린다.

쑤롄위 봐, 맘이 급해서 기다릴 수가 없지, 저 친구 서른 넘긴 사람으로 생각지 말라구, 천천히 요리를 해야 할 거야.

펑쩐화 관 둬요, 그래도 나보다 원 걸!

쑤롄위 별 차 없지. 웅, 더 붙들고 있으면 안 되겠는 걸!
(픽 웃으며. 퇴장한다)

펑찐화가 방으로 들어가려다 말고 다시 멈춰서서, 마음이 괴로운 듯 방문 앞에 서 있다. 바로 그때 개똥영감이 사료 콩을 들고 다시 그리로 돌아온다.

개똥영감   그 녀석이 짐생들을 다 묶어놓고 제대로 멕이지도 않고, 남도 못 멕이게 하다니. 다행이 들키지 않고 돌아왔네. 사료를 구유에다 부어 놓기만 하면, 주둥이 여덟 개가 들이밀어서 눈 깜짝할 새 바닥이 나 버리니, 쥐화칭 입에는 콩알 몇 개도 안 돌아갔어. 이렇게 한 솥에 밥 먹고 한 구유에 먹이 먹어서야 어느 놈도 살찌기는 다 틀렸어, 이렇게 가다가는 쓰러지지 않고 못 배기지. ─ 어? 어느새 돌아왔네. 고요한 게 아무 소리도 안 나네, 그놈의 떠들썩하던 잔치도 끝나고. 잔치 술은 못 마셨어도 신방이나 좀 훔쳐볼까, 이 신랑 신부가 뭐라는지……

개똥영감이 방 앞에 이르렀을 때 펑찐화가 몸을 돌리니, 두 사람의 눈이 마주친다─

펑찐화   (갑자기 무릎을 꿇고) 미안해요, 내세에는 소가 되고

79

말이 되어서라도 다 갚을 게요……

개똥영감   (어처구니없다는 듯) 히히, 아직 신방도 못 훔쳐봤
는데, 신부 절부터 받게 되었네, 헌데 어쩌지? 절
값을 안 가져왔어! 쯧쯧, 도마뱀이 투구를 쓰면?—
얼굴을 드러내지 않는디여, 잠깐 기다려 주게, 내
집에 가서 우리 집 열쇠 차고 있는 찐화 마님한테
가서 절값 좀 받아올 테니.

평찐화가 방안으로 달려 들어가며, 콰당 하고 문을 닫아 버
린다.

개똥영감   (생각을 더듬는다) 장에 갔던가? 응, 장에 갔지, 절
에도 들르고, 향도 사르고, 기도도 하고, 한 비구
니가 늙은 도사에게 시집을 갔다네……

11

어느 날 낮. 높은 문루 아래.
개똥영감이 층계에 앉아 물 항아리 하나를 조심스레 챙긴다.

개똥영감   바람 불고 비 오더니, 그 담엔 한 바탕 천둥 번

개. 바람 불어 황토가 내리면 온 땅에 금싸락이라 했겠다, 분명 풍년일 거야. 비가 오면 하늘에서 잉어가 떨어져 내려. 한 척은 되는 큰 놈하구, 꼬리가 눈하고 들어붙은 쬐끄만 놈하구. 생선은 쌀 실은 노새 같아, 생선을 먹으려면 양식이 많이 든단 말야, 염라대왕도 허락하지 않으실 걸. 염라대왕이야말로 지독해서 하나만 말하면 끝이지 둘도 안 돼. 땅이 흔들리고 산이 움직여서, 거지가 쪽박을 깨뜨렸거든, 쪽박을 깨뜨리고부터는 먹을 게 있더란 말야. 잘 먹고는 못된 일을 하지. 엉터리 놈은 막된 놈이 겁나고, 막된 놈은 죽어라 하고 대드는 놈이 겁나지. 그놈들이 억지로 내 문루를 헐려 하거든, 터무니없이 이 문루를 넷째 외삼촌(四舅)[5]이니 하면서 말야, 내가 무슨 빌어먹을 외삼촌이냐 하고 욕을 해 대자, 외삼촌이구 뭐구 외손주까지 꺼져 버렸지. 근데 딱 두 가지는 절대로 함부로 하면 안 되는 법이야. 하나는 땅이고 하나는 마누라지. 내가 막했더니, 다 돌아오질 않아.

---

5 "넷째 외삼촌(四舅)"은 문혁 때의 구호인 "네 가지 낡은 것(四舊)"과 발음이 같다.

안 돌아오면 내가 찾으러 나서야지. 마누라 말고 땅 말이야. 땅만 있으면 없던 것도 생겨나고, 땅이 없으면 있던 것도 빠져나가지. 어디 가서 찾는다? 하늘가도 아니고, 땅끝도 아니고, 실은— (비밀스럽게) 바로 풍수파에 있어. 그 언덕에 상수리 나무가 하나 있는데, 그 나무 아래 시원한 샘이 하나 있고, 샘가에 동굴이 하나 있는데, 나 한 사람 누울만한 곳이야. 거긴 땅도 있어, 개간하는 대로 다 자기 거지. 거긴 또 시원해서 파리도 한 마리 없다구. 너도 간다구? 안 돼. 리완장이 딱 나 혼자만 가도 좋다고 허락했거든. 특별 대접이라구 하면서, 신기하지? 생각해 보면, 우리네야 힘든 거 견딜 줄 알고, 힘도 있지. 거짓말이 아냐, 이 물동이하고 호미만 있으면, 하늘 끝에다 갖다 놔도 사람 구실하지, 땅만 있으면 뿌리 내려서 산다구. 너 리완장이 잊지 못할 거야, 내 은인. (위로 문루를 올려다보며) 이 친구야, 내 일단 갔다가 다시 돌아올 거니까, 너무 섭섭해 하지 말어, 널 돌 봐 줄 우리 아들놈이 있잖아. 이 녀석은 어디 갔지? 따후는? 따후! 따후! 참 그 놈은 어떤 계집애하고 연애 중이라나, 너무 귀하게 자란 애나 일할 줄 모르는 애는 안 돼. 우리 찐화처럼 이쁜 것하고 솜씨하고 고루 갖춘 여잔, 등불 켜들고 찾아도 없을 거야, 단지 장에 가고 마실 가는 걸 너무 좋아해서 탈이지, 그게 좋아서 아직도 돌아오질 않으니, 돌아오질 않아…… 장에 가서, 절에도 들르고, 향도 사르고, 기도도 하고…… (문설주에 기대어 자는 듯 마는 듯)

치융니엔이 그의 눈앞에 나타난다.

치융니엔 개똥영감, 요샌 잘 안 보이던데, 몸은 아직 괜찮은가?

개똥영감 치융니엔? 넌 더 늙었군…… 꺼져 버려!

치융니엔 보기 싫다면, 가네.

개똥영감 잠깐, 얘기나 좀 하지, 정말 혼자 심심하던 차에 잘 됐군.

치융니엔 자네 아들은?

개똥영감 여자 찾으러 갔는가 봐.

치융니엔 네 마누라는?

개똥영감 장에 가서 아직 안 왔어.

치융니엔 쥐화칭은?

개똥영감 죽었지! 작은 쥐화칭이 또 한 필 있긴 해, 그 놈
　　　　　이 남긴 거지, 벌써 멍에를 메는 걸!

치융니엔 거 자네 건가?

개똥영감 모두들 거지.

치융니엔 그 케케묵은 말이 아직도 쓰이나? 잊었나?

개똥영감 잊을 리가― 아버지한테 있는 것보다는 어머니
　　　　　한테 있는 게 낫고, 어머니한테 있는 것보다는 저
　　　　　한테 있는 게 낫고, 그냥 갖고 있는 것보다 품에
　　　　　안고 있는 게 낫고, 품에 안고 있는 거보다는 손
　　　　　에 움켜쥐고 있는 게 확실하지! 흥, 넌 또 반동이
　　　　　야! 리완쟝, 저 놈이 또 반동 말을 지껄여―

치융니엔 소리칠 거 없어, 보게― (보자기를 푸니, 그 네모난
　　　　　도장합이 나타난다)

개똥영감 그 쬐끄만 통이로군, 날 주어!

치융니엔 자넨 쓸 데도 없으면서.

개똥영감 쓸 데 있어, 있지 ―내가 풍수파로 갈 거거든!

치융니엔 그래도 안 돼.

개똥영감 알았어, 우리 농사꾼들은 다 똑같이 생겨먹었
　　　　　어, 은혜를 입으면 갚아야 하고, 원수지면 원술 갚
　　　　　아야지, 너 아직도 그때 내가 네 뺨 갈긴 걸 기억
　　　　　하고 있는 모양이군, 자, 한 대 쳐, 그럼 똑 같아지

잖아.

치윰니엔 난 널 때릴 수가 없어, 난 벌써…… 죽은 걸!

개똥영감 (별로 놀라지도 않고) 죽었다구? ……그런 얘길 들
은 것 같군.

치윰니엔 젊은 혁명대 장교가 한 대 내리치자, 그만……,
그래 만 번 죽어 싸지, 이놈의 개 같은 목숨.

개똥영감 개 같은 목숨이든, 사람 목숨이든, 그래도 목숨
인 걸, 염라대왕이 사람 껍질 씌워 내 보내기도
쉬운 일이 아닌데, 안 됐어!

치윰니엔 아까워서 제대로 먹지도 못하고 쓰지도 못하고,
돈은 모아다 쌓을 줄만 알았지, 한평생 오이 하나
제대로 생긴 걸 못 먹어 봤단 말야, 근데 죽고 나
서 내 앞에 향불 하나 제대로 피워 주질 않으니.
나도 속이 답답해서, 자넬 찾는 거라네.

개똥영감 자네 딸이 하나 있지 않은가, 이름이 뭐라더라?

치윰니엔 샤오멍이라구, 자네 따후하고 비슷하지, 걘 안
됐어!

개똥영감 본래 너희 씨니까, 재수 없는 게 당연하지.

치윰니엔 다 컸으니 시집도 가야겠는데.

개똥영감 누가 그런 골칫거리를 데려간대? 아무런 하자
없는 놈이 뭣 하러 죄도 없이 올가미를 뒤집어쓰

려 하겠어? 그거나 가져 와, 도장인가 뭔가—

치융니엔   안 돼.

개똥영감   너 사람은 죽었다면서 마음은 아직 안 죽은 모양이지?

치융니엔   다들 그러더군.

천따후가 치샤오멍을 이끌고 등장한다.

천따후   이리 와, 아버진 실성한 지 오래신 걸, 널 못 알아보실 거야.

치샤오멍   만에 하나라도 알아보시면?

천따후   알아 보셔도 그만이지, 어쨌든 너도 조만간에 이 문루로 들어와야 하는 걸 뭐!

이때, 치융니엔의 환영은 그 자리를 떠나지 않지만, 이하의 장면에서는 단지 개똥영감의 눈에만 보이고, 따후와 샤오멍에게는 보이지 않는다.

천따후   아버지, 아버지!

개똥영감   (비몽사몽간에) 음, 따후로구나, 엄마 돌아오셨니?

천따후　장에 가셨잖아요?

개똥영감　장이 시끌벅적하더냐?

천따후　네, 재밌어요.

개똥영감　이건 누구냐?

천따후　어서 아버님하고 불러 봐, 어서.

치샤오멍　(부끄러운 듯) 아저씨.

개똥영감　(다소 위안이 되는 듯) 오-, 그래, 그래 너희 둘이— 연앨한다지? (갑자기) 너, 어째서 저 놈을 닮았지?

치융니엔　그럼 내 딸이 날 안 닮고 누굴 닮아?

개똥영감　너 성이 뭐니?

치샤오멍　……

천따후　말해 봐—

치샤오멍　성은 "멍"이고, "멍 치"라고 해요.

개똥영감　너 이 치융니엔 딸 아니냐?

치샤오멍　(괴로워하며) 아니요.

치융니엔　기면 또 어때서?

천따후　기면 내가 절대 허락 안 해.

치융니엔　너는 허락 안 해도 니 아들—우리 치씨 집 큰사위가 원한다는데.

개똥영감　내가 가만 안 둬!

치융니엔　그냥 받아들일 수 없겠나?

개똥영감 우리 천씨하고 치가하고 사이는 안 좋았어도 한 우물 마시고 산 이웃이지, 니 자식은 더러운 니 땅에서 떠나 제대로 밥 먹고 살 곳을 찾아 가는 게 잘못된 건 아니지.

치융니엔 그래, 내 지주 "딱지"도 대를 물릴 수야 없지!

개똥영감 안 돼, 아무리 대단한 얘기를 해도 안 돼! 이 아가씨가 맘에 든다 해도—만약 치가네 사람이 우리 천씨 집에 들어오면, 이 문루는 어떻게 되지? 이 문루는 천씨네 거야, 치가네 거야?

천따후와 치샤오멍이 그 모습을 보고 고개를 젓는다.

치샤오멍 (무서워서 간신히 대답한다) 아저씨, 치가네 게 아니에요.

개똥영감 근데 들여다볼수록 더 닮은 것 같애······

천따후 (끼어들며) 아버지, 이 낡은 물동이는 뭐하시려구요?

개똥영감 낡은 물동이라구? 이 한 동이 시원한 물을 뱃속에다 부어 넣으면, 보리를 베든, 밭을 메든 간에, 품꾼 백 명 가운데 아흔 아홉은 다 제쳐 놓고, 그 놈의 치가네서도 큰 일에는 다 이 개똥영감을 찾았다니까, 내가 그 집 나귀를 우물에 빠뜨리긴 했지만…… 참, 에비는 떠날란다.

천따후 어딜 가시려구요?

개똥영감 (아득히) 풍수파로, 상수리나무가 있고, 시원한 샘이 있는……

치샤오멍 따후, 생각 안나? 우리 어릴 때 가 봤잖아, 거기 시큼한 대추하고 빨간 석류하고, 송이송이 작은 파란 꽃이 마치 별처럼 피어 있던……

개똥영감 아가씨도 가 봤는가봐.

치샤오멍 네.

개똥영감 그래, 그리로 갈란다. 아직 맘이 안 놓이는데, 정말로 치가네 딸 아닌가?

치샤오멍 정말 아니에요.

개똥영감 알고 있니? 그 늙은이는 죽었어! 하느님이 데려 가셨지, 아니, 하느님은 신선들하고 노니시니 그 친구는 상관치 않으셨을 게고, 염라대왕이 병사를 보내서 한 바탕 법석을 핀 후에 몽둥이로 내리치니까, 머리가 깨지고……

천따후 아버지, 지금 풍수파 얘기 하시던 중이잖아요? 완장 아저씨가 괜찮다 하셨어요?

개똥영감 그 사람, 나만 보면 미안해하더군, 마치 빚이라

89

도 진 사람 모양.

치융니엔　히히······

개똥영감　뭐가 좋다구, 우리 아직 계산 안 끝났어.— (천 따후에게) 꿇어앉아!

천따후　아버지······?

개똥영감　문루를 향해서 꿇어앉아, 꿇으라니까?

천따후가 어쩔 수 없이 문루 아래 꿇어앉는다.

개똥영감　그리고 너두, 천씨 집에 들어올라면, 천씨 집 사람을 따라야지, 꿇어앉아.

천따후가 치사오멍을 끌어다 꿇어앉힌다.

개똥영감　날 따라 해봐. 오— (치융니엔을 향해) 너도 가지 말구 잘 듣고 보라구, 우리 천씨 집 뼈대가 어떤 지. 우리 천씨 집안은 잇는 놈이 있어, 너같이 후 사가 끊긴 놈하고는 달라! — 첫째, 새 사회의 훌 륭한 자녀임을 잊지 말고, 대구세주의 은혜를 잊 지 않는다. 따라 해!

천따후　······했어요.

개똥영감　둘째, 집을 잘 지키고, 문루를 잘 보존하고, 낡은 벽돌은 교체하고, 깨진 기와도 바꾸고, 부모님을 대하듯 문루를 보살핀다. 따라 해!

천따후　……했어요.

개똥영감　치가네 원한을 기억하고, 치가네 사람을 보지 않으며……

천따후　말도 안돼! 샤오멍, 이거 나쁘지 않은데, 우리 여기서 혼례식 올리는 걸로 하자!

치샤오멍　나더러 치가네 원한을 잊지 말라는데, 지금 농담하고 있는 거야?

개똥영감　따라 해!

급한 종소리가 들려온다.

천따후　아버지, 그만 해요, 완쟝 아저씨가 일 나갈 시간이라고 종을 치잖아요.

개똥영감　괜찮아, 치융니엔은 잘 들어둬—

치융니엔　응.

개똥영감　치가네 원한을 기억하고, 치가네 사람은 보지 않는다. 자 아가씨, 따라 해 봐!

치샤오멍　(억지로) 치가네 원한을 기억하고, 치가네 사람은 보지 않는다. ……아버지!

개똥영감 (만족스러워) 흠—

또 한 바탕 종소리에 리완장의 외치는 소리가 섞여 들려온다.
"일하러 갑시다—"

12

풍수파.
치샤오멍이 시아버지에게 식사를 날라 온다.

치샤오멍 (외친다) 아버님!

개똥영감이 올라온다. 그의 옷차림은 예전 청나라 때의 산골
사람이 영락없다. 단지 차이라면 뒤통수에 변발이 없는 것
뿐.

개똥영감 한 표주박 샘물에 속이 시원하고, 석 자나 드리
운 나무 그늘도 서늘하니, 금난전에 오른 거나 매
일반이다.

치샤오멍 아버님, 보세요, 제가 구워 온 금은병(金銀餠)[6]

도 금에다 은을 둘렀죠?

개똥영감 일은 정성스레 해야 하고, 밥은 되는 대로 먹는 거야. 그렇잖으면 명이 줄어. 염라대왕이 말씀하시길, 이 기름 반 동이, 네가 먹으면 안 돼! 그래서 안 먹었지, 저 옥수수 포기마다 한 국자씩 퍼 멕였지, 이삭을 세기만 해도 군침이 도니 한 가지 이치지. 그 쬐그맣던 옥수수대가 기름을 먹더니 든든했는지, 글쎄 한밤중에 서로 경쟁하듯 뿌드득 뿌드득 마디가 자라는 소리가 들리드라니까…… 옥수수가 그 나팔 같은 입을 벌리고 이삭을 반쯤 물고 있는데, 비가 안 오고 목 조르듯 가물어 대니, "천지신명이여 굽어살피소서."—하고 기도를 드렸지, 그랬더니 온 하늘에 구름이 덮이고는 보슬비가 살살 알맞게 내려서 땅으로 쏙쏙 스며들었겠지. 그렇잖으면 내가 공갈을 한다고 제 놈이 그런 실한 열매를 맺겠어? 사실 그 기름 반 동이는 다 쳐 버리기는 아까워서, 좀 남은 거는 생쥐를 멕이더라도 놔 뒀지, 먹으라면 먹으라지, 염라대왕이 가만 안 둘 걸. 아가야, 힘들지?

---

6 金銀餠은 노란색 테를 둘러 만든 밀가루 빵.

치샤오멍 아버님이 놀다가 죽는 놈은 있어도 일하다 죽
        는 놈은 없다 그러셨잖아요?

개똥영감 착하기도 하지, 문루는 손을 좀 봤냐?

치샤오멍 훤하게 고쳐 놨지요.

개똥영감 치가네 사람들은 좀 보냐?

치샤오멍 뒤통수도 본 일이 없어요.

개똥영감 그래, 그래, 밥이나 먹자.

금은병을 시원한 물에 담가서 시아버지와 며느리가 함께 먹
는다. 쑤렌위가 뛰어 올라온다.

쑤렌위 개똥 형님!

치샤오멍 렌위 아저씨.

개똥영감 그리 급하게 날 찾는 걸 보니, 또 땅을 팔려구?

쑤렌위 내 참, 이젠 마누라도 팔아야 할 지경이에요, 마을
        에서 또 칼을 휘두르고 있단 말이에요!

개똥영감 피를 좀 보면 화기가 가라앉지.─이발사가 왔
        으니, 칼 가져왔나? 온 김에 내 머리 좀 밀어 주게,
        너무 텁수룩해서 말야.

쑤렌위 정신 좀 차리셔요. 꼬리를 자른대[7]……

개똥영감 돼지 꼬리?

쑤렌위 사람 꼬리!

개똥영감 사람도 꼬리가 나나?

치샤오멍 학교 다닐 때 선생님이 그러시는데, 사람은 원숭이가 변한 거랬어요.

개똥영감 염라대왕은 호랑이가 변한 건가?

쑤렌위 쓸데없는 소리 작작하고, 빨리 옥수수나 거두어.

개똥영감 아직 익지도 않았는 걸?

쑤렌위 하나라도 따 들면 남는 거라구, 조금 있으면 하나도 안 돌아와.

개똥영감 뭐가 어찌 된 건지 자초지종을 얘기해 봐.

쑤렌위 뭐가 어찌 된 건지 나도 몰라요. 처음부터 얘기할라면, 제 때문이지요.

치샤오멍 저요?

쑤렌위 사람들이 그러는데, 우리 개똥 형님이 이 풍수파에 오게 된 게 본래 형님 생각이 아니라, 네 생각이었다면서? 형님은 본래 그런 사람도 아니고, 네가 그런 사람이지, 사실은 네 아비가 그렇고.

개똥영감 내가 본래 그런 사람인 걸.

---

7 문혁 때는 "꼬리 베기"라하여 농민이 자영적 수단으로 유지하던 땅이나 가축을 몰수하였다. 부분적으로 존재하던 私有制를 비판하고 제한한 조치이다.

쑤렌위 멍청하게!

치샤오멍 알았어요, 제가 아버님께 누가 됐나 봐요, 일찌감치 아버지와 함께 죽었어야 하는데.

개똥영감 내가 죽어? 풍수파의 이렇게 좋은 땅을 두고서? 이 땅도 차마 날 떠나 보내기가 아쉬울 걸! 난 말야, 굴러 떨어져도 끄덕없는 고슴도치라구. 아가야, 너 고슴도치는 왜 죽지 않는 줄 아니? 니가 휙 던져봤자 그 놈은 데구르르 굴러가거든. 뛰는 놈 위에 나는 놈 있다구, 족제비는 아예 한 술 더 떠서 말야······

리완장이 천따후와 함께 등장한다.

리완장 렌위 형님이 먼저 와 계셨군요.

쑤렌위 먼저 소식을 알려야 손해라도 좀 덜 볼 거 아닌가?

천따후 아버지, 집으로 돌아가셔야겠어요. 풍수파 땅은 사람들에게 내주어야 해요.

개똥영감 아니 쓸데없이 왜 이리 떠들어대? 귀신 도깨비라도 나타났냐? 이 낯익은 땅은, 환향단 총부리 앞에서도 내준 일이 없어, 이걸 내놓으라구? 앞으

로는 옛날 치가네 땅과 겨룰 만하게 만들 작정이
구, 또 우리 며늘아이는 아무것도 받지 못하고 시
집이라구 왔으니, 내 얘한테 패물이라도 하나 해
줄 셈이었지!

천따후 아버지, 아직도 모르세요? 아버지가 풍수파를 붙
잡고 있으면, 사람들이 이 사람을 못살게 굴 텐데,
이 사람은 임신을 했단 말이에요, 삼 개월이에요!

개똥영감 햐, 하느님 고맙습니다! 길 가는 신령님들 들으
시오, 우리 천씨 가문이 대를 잇게 됐어요! 허허,
촌장, 그때는 우리 신세 고친 집 백일 잔치나 먹
읍시다!

리완장 그러죠, 그래, 헌데 지금 이 땅은……

개똥영감 동생, 자네가 저 사람들에게 좀 말해 주게, 이
건 "특별 대우"라구.

리완장 (곤란해서) 그때 그때 상황이 달라지거든요, 지금
은 꼬리를 잘라야 할 때라서요. 개똥 형님 꼬리는
보통 그저 그런 꼬리가 아니에요, 아주 길쭉하게
늘어진 꼬리라구요. 형님 며느리 말이에요, 그 아
비, 그러니까 사돈네가 이러저러하게 죽잖았소?

개똥영감 자네 분명 뭐 약을 잘못 먹은 게로군.

리완장 (더는 봐 줄 수 없어서) 저 아이가 바로 치웅니엔 딸

97

이잖아요?

개똥영감 함부로 내 머리에 똥바가지 갖다 걸지 말게, 눈 똑바로 뜨고 봐, 그 빌어먹을 놈이 우리 며느리 같은 딸을 나을 수 있겠냐구?

쑤롄위 형님, 문제는 바로 그거라구요, 지금 형님 성분이 깨끗질 못한데, 여기 풍수파에서 자기 농사를 짓 겠다니, 사람들이 서슬이 퍼래서 형님 꼬리를 베 려는 게 아니겠어요? 분명한 건, 얘가 바로 치융 니엔 딸이라구요.

개똥영감 (반신반의하며) 얘야, 네가 정말 치가네 그……

샤오멍이냐?

치샤오멍 아버님, 제가 샤오멍이에요!

개똥영감 너희 내 앞에서 맹세까지 해 놓고…… 날 속였 단 말이냐?

치샤오멍 아버님, 전 형제자매도 없는 고아예요, 의탁할 데도 없어요, 제가 서툰 솜씨라도 삼 년 동안 아 버님 모신 정성을 생각해서 절 받아 주세요!

개똥영감 네 에미 없는 틈을 타서 너희가 날 속이다니!

천따후 아버지, 풍수파를 내 놓으세요!

개똥영감 안 돼.

천따후 그럼 사람들이 이 사람을 끌고 가서 인민대회를 열어……

개똥영감 (기색이 크게 변하며) 누가 감히! 치융니엔의 딸이
면 또 어떻단 말이냐? 열이면 쓸 만한 놈 하나쯤
은 있기 마련이고, 한 품에서 났어도 다 나쁜 놈
은 아니지. 얘야, 넌 이름과 성을 바꿨다구 그래
라, 천치씨, 이것도 별로 좋지 않은데……

리완쟝 형님, 어쨌거나 이 꼬리는 잘라내야 해요, 왜냐
면……

개똥영감 그만 둬! 지금이 해방 전보다두 못한 것 같애!

리완쟝 (깜짝 놀라며) 뭐라구요? 감히……

개똥영감 그날 밤, 환향단이 우릴 다그쳐 급하게 됐을 때,
우린 그래도 팔로군을 찾아 갈 수가 있었지, 근데,
오늘밤은, 누굴 찾아가지?

쑤렌위 그러게 말이에요. 대나무로 물구덩이 깊이 잴 때,
대나무 한 마디 들어갈 때마다 한 마디씩 하잖아
요, 이번 마디는 꼬리 베기라는 건데, 게다가 형님
꼬리는 보통 꼬리가 아니라구요.

개똥영감 꼬리? 난 벌써 머리 잘리고 꼬리 잘려서 중간
토막밖에 남지 않았어! 누가 또 이런 형편없는 생
각을 해 낸 거지? 그 놈의 8대 조상까지 다 개자
식이다! 그래, 또 꼬리를 자르겠다구―얘야, 너 좀

비켜라, 사람들에게 이 개똥영감 엉덩이에 꼬리가
있는지 없는지 보여줘야겠다.

치샤오밍 (천천히) 완장 아저씨, 우리 어른께서는 병 중이
니, 너무 흥분하게 하지 마세요. 이 풍수파에서
무슨 위법이라도 해서 죄가 된다면, 이 치씨 성붙
이가 달게 받을 게요, 제가 같이 가죠, 가세요.

개똥영감 애야, 니가 가면 누가 내게 밥을 날라 주냐?

사람들 무리 속에 펑찐화가 나타난다.

펑찐화 리완장, 당초에 내가 뭐랬죠? 당신은 또 어떻게
대답했구? 당신 또 뭔 바람에 휘둘려서, 대체 뭘
하려는 거예요? 그 쬐그만 벼슬이 뭐 그리 대단해
서, 떡이 생기나 술이 생기나? 뭘 그렇게 욕심을
내요? 이랑신이 서북풍을 마신다더니?[8] 당신도 그
꼴 났구려. 그 벼슬 안 해도 그만이니, 양심까지
속이진 말아요. 이번 꼬리 베기는 내가 맡을 테니,
어떤 문제가 생기든 다 내게 말해요— 얼른 가지

---

8 벼슬이나 직책을 가진 것에 부질없이 흥미를 느끼는 경우를 비유한 것이
다.

않고 뭘해요? 이 집 식구들 여기 풍수파에서……

(구슬프게) 모여 살게 좀 해 줍시다.

개똥영감   이 아주머니 생각 한 번 시원스럽네, 하는 말마
다 속이 후련해. 이런 아주머니도 다 아는 일을!
한심하군, 이 높은 양반들아!

개똥영감만 남고 모두 사라진다.

13

개똥영감이 멍청하게 바라본다.

치융니엔의 환영이 나타난다.

치융니엔   알아 보겠소?

개똥영감   낯이 익은데.

치융니엔   보게, 저 두 식구가 또 왔어.

리완장과 펑찐화가 멀리 나타나 서로 무슨 얘기를 한다.

개똥영감   또 꼬리 베겠다는 건가?

치융니엔   지난 몇 해 일은 말할 것 없네. 이번엔 아마 좋

은 일이겠지.

개똥영감 금새 구름이 끼었다가는 금새 비가 오니.

치융니엔 추위가 다하면 다시 따뜻해지는 법이지.

개똥영감 꺼져.

치융니엔 얘기나 하세.

개똥영감 그럴 시간 없어.

두 사람이 사라져 간다.

펑쩐화 (또 다시 부탁이다) 쥐화칭을 끌고 가세요.

리완쟝 물론이지—헌데 내가 왜 가야 하지?

펑쩐화 구유에 말을 살 때는 새끼까지 얻길 바라는 건데 —이 새끼 쥐화칭은 그 늙은 쥐화칭하고 쏙 빼 닮았어요, 마치 판에 박은 것 같아요. 술은요?

리완쟝 받아 놨지.

펑쩐화 저 닭고기 절인 것 두 마리 가져가세요, 이걸 아주 좋아하니까.

리완쟝 가져갈게.

펑쩐화 그렇게 다 죽어 가는 모양 좀 하지 말아요, 좀 기쁜 모습으로 가요.

리완쟝 기뻐, 기쁘다구. 이십여 년이야, 말도 다시 데려다 주잖아, 내가 그동안 무슨 일을 했지?

펑찐화 우리 영감님, 다 툭툭 털어 버려요. 당신에게 또
무슨 일이라도 생기면 절대 안 된다구. 또 하나
미쳐 버리면, 나도 정말 방법이 없어요. 당신이
풍수파로 말을 끌고 가서, 형 동생같이 술 한 잔
걸치다 보면, 그가 마음이 녹고 기가 풀려, 아미타
불, 행여나 정신이 돌아올지 알아요?

리완쟝 그럼 좋겠네, 나도 신경 안 써도 되고, 말하고 당
신하고 다 함께 돌려주면 되겠군.

펑찐화 뭐라구요? 내가 이 말 정도밖에 안 돼 보여요?—
여자는 그렇게 값이 안 나간답디까?

히힝 말 소리가 한 바탕 나더니. 조명이 어두워진다. 다시 밝
아지고, 개똥영감과 리완쟝이 풍수파에 함께 앉아 있다.

리완쟝 드세요, 한 동이 가득 가져 왔으니.

개똥영감 웬일인가? 우선 목이나 축이세. 말해 보게, 자
네가 붉은 마을 운동을 해도, 이 개똥 형님이 검
은 지주는 안 해.

리완쟝 그런 얘기는 그만 둡시다. 먼저 좀 드세요—

개똥영감 절임이네? 야, 귀한 것으로군. (맛을 보고) 음, 맛

이 일품인데, 어디서 났나?

리완쟝 절인 거예요.

개똥영감 누가?

리완쟝 마누라가요.

개똥영감 음, 좀 나이든 아줌씨들은 다 할 줄 알지, 자 마시세!

리완쟝 예, 드세요, 형님, 이제 정신 좀 나세요?

개똥영감 동생, 내가 언제 정신이라도 나갔던가?

리완쟝 제가 좀 정신이 나갔었죠. 이 세상일이란 어떤 때는 몇 십 년을 고 모양 고대로 있는데, 어떤 때는 하루아침 눈뜨면 바뀌어 버리더라니까요, 그것도 변할수록 요상해지고, 가도가도 끝이 없구요.

개똥영감 손오공이 재주를 부리는 모양이지. 염라대왕님이 그러셨어, 아무리 변해도 저 높은 문루는 천씨네 거라구, 다시 바뀔 수는 없다구……

치융니엔의 환영이 나타난다.

개똥영감 흥, 저 치가 또 나타났군.

치융니엔 황막한 들에서는 정말 외로워서 어쩔 줄 모르겠어, 술 한 모금 얻어 마시러 왔지.

개똥영감 꺼져!

치융니엔 우린 사돈이잖아, 너희 천씨가 내 딸을 데려갔지.

개똥영감 그건 사실이야, 며느리만 데려온 게 아니라, 손자까지 봤지. 이제 가문을 이었으니, 사돈인 건 틀림없어.

리완쟝 (갑자기 놀라) 개똥 형님, 왜 그러세요?

개똥영감 우린 술이나 마시세, 저 치 상관할 거 없어.

리완쟝 누군데요?

개똥영감 치융니엔.

리완쟝 지금 그 자 얘길 하려던 참이었는데.

치융니엔 그것 봐.

개똥영감 그만 끼어들라니까!— 뭐라구? 얘기해 봐.

리완쟝 형님 만약 정말…… 에이 참, 이렇게 말하자, 정말 그 자가 올 수 있다면, 우리하고 대등한 대우를 해 줘야 한단 말이죠.

치융니엔 그것 봐. (한 쪽 엉덩이를 대고 앉는다)

개똥영감 꺼져, 꺼지라구, 내 땅 부정 탄다.

리완쟝 형님 그런 생각은 이미 고리타분한 거라구, 안 된대요.

개똥영감 그럼 어쩌라구, 이 술을 저 치한테 마시라구

줘?

리완쟝 최근 내려 온 명령대로 하면, 주어야죠.

치융니엔 거 보라구. (손을 뻗어 잔을 받는다)

개똥영감 (리완쟝 손에 있는 잔을 받아, 치융니엔에게 뿌린다) 자 받아, 마시라니까, 마셔! 우리하고 같다구? 꿈도 꾸지 마! 사돈이라고 나서려 해도 안 될 걸.

두 사람이 붙잡고 뒹군다.

리완쟝 어찌된 셈이에요? 개똥 형님, 형님, (끌어도 끌어지지 않자, 큰 소리로 외친다) 천허샹— 말을 데리고 왔소!

개똥영감 말? (바보같이 웃으며) 헤헤헤헤…… 또 날 속이려구? 이층집에다 전기하고 전화도 들어온다구……

리완쟝 속이는 게 아니고, 틀림없어요. 쥐화칭을 끌고 왔다니까!

개똥영감 필요 없어. 또 얼마 지나면, 자네가 다시 술 한 주전자 들고 와서는 끌고 가 버릴 텐데 뭐.

리완쟝 그럴 리 없어요!

개똥영감 만약 그렇게 되면?

리완쟝 내 보장하지요.

개똥영감　누가 자네 보증을 선대?

치융니엔　죽은 느릅나무 등걸이!

개똥영감　작작 끼어들어.

리완쟝　누가 다시 한 번만 그 말도 안 되는 짓거리를 하면, 나도 깨달았다구요. 다시 농사 안 짓고 있으면, 그냥 굶어 죽게 둘 거야! 어 참, 땅도 있어요, "호로주둥이" 땅도 돌려 줄 테니, 농사지으래요.

개똥영감　정말?

리완쟝　거짓말이면— 벼락을 맞지!

히히힝 말울음 소리가 들린다.

개똥영감　쥐화칭 소리? 우리 쥐화칭, 착하지, 어딨냐?

리완쟝　시원한 샘물 옆 상수리나무에다 매어 놓았지요.

치융니엔　시원한 샘물 옆 상수리나무에다 매어 놓았대, 상수리나무에다 매어 놓았대……

개똥영감　꺼져, 일만 년이 지나도 넌 상대해 주지 않을 테니!

치융니엔이 사라진다.

개똥영감   우선 물부터 좀 먹여야지, 실컷, 맑디맑은 샘물을 실컷 마시게…… (신이 나서 내려간다)

산골짜기에서 메아리가 울린다: "말이 돌아왔다—" 리완장이 백감이 교차하는 듯 쫓아간다.

잠시 후. 개똥영감이 두 손으로 물동이를 들고, 맑은 수면에 비친 자신의 모습을 들여다보면서, 천천히 올라온다. 리완장이 그 뒤를 따라 올라온다.

개똥영감   (나지막히 부른다) 개똥영감, 천허샹, 오랜 친구야, 검은 머리카락이라곤 하나도 없구나! 이 머리통에 백발만 성성하니, 도대체 무엇과 바꿨는고? 완장 아우, 이게 자넨가? 얼굴이 호두껍질처럼 시꺼멓네. 자네— 마흔 몇인가?

리완장   (쓴 웃음을 지으며) 어이구, 딱 예순이에요.

개똥영감   자네가 예순이라구? 내가 자네보다 한 순배 빠르니, 그럼 난 일흔 둘? 하느님 맙소사……

리완장   하느님은 그런 거 상관 안 하세요.

개똥영감   그렇지, 염라대왕님……

리완장   형님, 염라대왕도 이제 집어치우세요. 소학생 책에도 이건 법칙이라구 써 있어요. 대자연의 법칙이라구.

개똥영감 대자연 나으리, 날 한 30년만 아니 20년만 젊게 해 주시면, 이 온몸의 힘 다 쏟고, 호미 열 자루를 부러뜨려서라도, 저 치융니엔을 눌러 이겨서 그 쬐끄만 도장을 내 손에 넣고, 천석꾼 소리 듣지 못한다면, 이 시원한 샘에 머리를 박고 죽어 버리지요!

리완장 참 알 수 없군. (큰 소리로) 형님, 아직 늦지 않았어요!

개똥영감 자네가 그 말을 하니 말인데, 난 아들도 있고, 손자도 봤는 걸. 밭 갈고, 고랑 내고, 김매고, 체 치고, 키 까부르고를 다 할 줄 알아야 농사꾼이지. 내 바짝 붙들고 가르쳐야지, 노새도 가르쳐 길이 들어야 수레를 끄는 법.

리완장 농사 지을 때죠. 백로는 일찍 내렸고, 찬이슬은 좀 늦네요.

개똥영감 추분이면 보리 심기에 안성맞춤이지.

리완장 하루 당겨 심으면—

개똥영감 열흘은 빨리 거두지.

리완장 쥐화청을 끌고 이부자리 말아 실으세요. 아들 며느리에다 손자까지 눈 빠지게 기다리는데, 돌아가십시다, 형님.

개똥영감   (갑자기 자신에 차서) 가자! 아들 며느리, 손자에다 쥐화칭, 그리고 문루까지…… (회상하며 생각을 더듬는다) 후얼 에미, 우리 후얼 에미는? 장에 갔나? (고개를 흔들더니) 아닌데…… 완쟝이!

리완쟝   왜요?

개똥영감   빨리 돌아가세! 찐화를 찾아야지, 우리 찐화를 찾아야지! 죽었든 살았든 간에 말야. 나하고 반평생 고락을 같이 했는데, 이제는 잘 갚아 주어야지!

리완쟝   아직…… 아직 잊지 않으셨소?

개똥영감   잊을 수가 있나, 내 마누란데.

리완쟝   마을에 돌아가서— 알려 드리지요.

14

말 히힝거리는 소리와 함께 희미한 빛이 문루를 비친다. — 그것은 더욱 낡아 보인다.

차 멈추는 소리가 나고, 쳔따후와 치샤오멍이 등장한다. 둘은 매우 들떠 있다.

쳔따후   (돌아보며 인사한다) 기사 아저씨, 고맙습니다!

치샤오밍　오늘 성내를 한껏 돌아다녔더니, 정말 피곤해.

천따후　치씨 마님, 그리 엄살피지 마시어요! 얼른 가서 우리 아들놈을 봐야지.

치샤오밍　자기 아들 귀한 줄밖에 모르지.

쑤롄위가 총총히 달려온다.

쑤롄위　이번 차가 왔기에 두 사람이 돌아온 줄 알았지, 얼마나 기다렸다구! 안심해, 롱롱은 우리 집서 잘 놀고 있으니까, 꼬마 녀석이 어찌나 똑똑한지, 손가락을 꼽으며 수를 세는데, 오백까지나 센다니까……

치샤오밍　아주머닐 번거롭게 해 드려서 어쩌죠?

천따후　아저씨, 불도저는 어찌 됐어요?

쑤롄위　내일 온대. 판매계약은 어찌 됐어?

천따후　결정됐어요, 삼천 톤으로.

쑤롄위　요즘은 입만 뻥긋하면 천 단위 만 단위니. 삼천 톤이면, 삼에 삼씩, 삼삼은 구…… 이렇게 한 건만 해도, 적잖은데!

천따후　뭘요, 왕씨네 백운석 공장에 비하면, 어림도 없는 걸요.

쑤롄위 내 일찌감치 알아봤지, 네 녀석 보통 통 큰 놈이 아니라니까!

천따후 하지만 완장 아저씬 아직도 반신반의인 걸요.

쑤롄위 그 사람이야, 뭐랄까, 마을 애들까지도 아예 노랠 지어 부른다구: 리완장, 늘 그 모양, 가난만 찾아 다니지. 큰 은전 한 잎 생기면, 껴안고서 목을 맬 걸! 네 아버지도 그렇지 뭐, 이 쑤롄위가 그네들보 다 좀 낫다면 바로 융통성이 좀 있다는 거지.

치샤오멍 그렇찮음 어떻게 늘 손해 보지 않고 지금까지 올 수 있었겠어요!

쑤롄위 너무 망신주진 말자, 그저 자기 거 좀 챙긴 것뿐 이야. 이번에 너희들하고 함께 힘을 합해서, 잘만 되면, 나도 떵떵거려 볼 참이야. 그래야지, 내 곧 면사무소 가서 우리 백운석 공장 영업허가증을 찾 아 와야지.

천따후 아저씨, 돌아오시면 한 잔 하면서 내일 일 시작할 거 좀 의논하죠.

쑤롄위 아무렴. (퇴장한다)

천따후 (부드럽게) 좀 쉬지!

치샤오멍 히히……

천따후 뭘 웃는 거야?

치샤오멍 읍내 그 계집애들 말야, 그렇게 짧은 옷을 입고
서, 팔다리가 다 드러나잖아? 괜찮을 거야, 옷감
도 아끼고, 시원하기도 하고.

천따후 그런 걸 발전이라고 하는 거야, 당장 내일 당신도
그런 거 한 번 입어 보지.

치샤오멍 이 마을에서? 아이구머니, 두 사람 까무러쳐 죽
으라구.

천따후 무슨 상관이야, 내가 좋다면 그만이지!

치샤오멍 관 둬!

천따후 남들 뻔히 보는데도 서로 팔짱 끼고 당기고 하는
거 못 봤어? (치샤오멍의 어깨를 끌어안는다)

치샤오멍 그렇게 싹싹하고 달콤한 애인들 모습, 난 아직
어색한 걸.

천따후 어휴, 고리타분하긴……

펑찐화가 머뭇거리며 걸어 나온다.

펑찐화 (쭈뼛쭈뼛하며) 샤오후……

천따후 (어쩔 줄 몰라 하며) ……아주머니!

치샤오멍 (다정하게) 아주머니, 안으로 들어가세요.

펑찐화 아니야. 너희 둘 집에 있었구나? 문루가 낡았는데,

좀 손이라도 보지 않구?

천따후 그럴 필요 없어요, 내일이면 허물어 버릴 걸요 뭘.

펑찐화 허물어 버린다구?

천따후 벽돌두 다 삭아서, 허물지 않아도 저절로 무너져 버릴 거예요.

치샤오멍이 이 "어렵사리 들른 손님"에게 대추를 한 쟁반 담아 내온다.

치샤오멍 아주머니, 대추 좀 드세요.

펑찐화 (중얼중얼거리며) 대추, 대추라, 보는 사람이 임자지……

천따후 아주머니, 여긴 어떻게……?

펑찐화 네 아버질 좀 보려구.

천따후 아시잖아요, 아버진 풍수파 언덕에 계셔요, 벌써 몇 해나 집에 오시지 않은 걸요.

펑찐화 완장 아저씨가 말을 끌구 갔단다.

천따후 그럴 필요 없는데.

치샤오멍 (제지하며) 따후!

천따후 본래 그럴 필요 없는 일이라구요, 배 아픈 데 안약이 무슨 소용이람!

펑찐화 어쩌면 그렇게 말을 할 수 있니? 말은 그의 가업이야, 그득한 소반, 그득한 밥그릇의 소망이 실려 있어, 말을 보면 혹 정신이 들지도 모르잖니?

천따후 정신이 들지 않는 편이 나아요, 정신이 들면, 여기 일이 어려워질 텐데, 아주머니도……

펑찐화 얘, 그런 소리 마라. 그동안 얼마나 힘들게 지내셨는데, 여태까지 살아온 게 정말 쉽지 않았어. 난 네 아버지가 다시 제정신으로 몇 년만이라도 살았으면 좋겠다. 제정신으로 이 집도 다시 보고, 이 문루도 다시 보고, 너희들도, 그리고 제정신으로 날 한번 보게 해 주고 싶어…… 샤오후, 난 너희 부자에게 고갤 들 수가 없구나!

천따후 그만 해 둬요…… 어머니!

치샤오밍 (슬피 울며) 우리 아버지도…… 지금까지 살아 계셨더라면, 얼마나 좋을까……

천따후 당신까지 덩달아 정신없게 만들지 마!

말 울음소리. 개똥영감이 발걸음도 무겁게 등장한다.

개똥영감 말이 돌아왔단다!

치샤오밍 (다정하게 다가가) 아버님!

개똥영감 (큰 소리로 대답하며) 응, 착한 아가, 얼른 동쪽 칸 치워서 구유 좀 갖다 놓아라. 우선 우리 둘이 같이 지내련다—

펑찐화는 숨다 미처 피하지 못하고, 말을 하려다 멈춘다.

개똥영감 (흘낏 그녀를 보고, 얼굴색이 크게 변하며) 후얼, 네 어머닌 집회에 가서 아직 돌아오지 않았니?

천따후 아직요.

펑찐화 (조금 마음을 가라앉히고, 난감한 기색으로) 당신, 몸은 괜찮군요……

개똥영감 당신은…… 완장댁네든가? 신세 많았소, 신세 많았어, 이제 가 보시오, 완장 아우도 집에 갔으니……

펑찐화 샤오멍하고 같이 말에게…… 다시 한 번 집안 좀 치우려고요!

개똥영감 아니오. 샤오멍, 이리 오너라. 너 너희 집 뜰 안 모습 기억나니?

치샤오멍 아니오. 아버지가 얘기해 주시던 건 생각나요, 이 문루를 들어서면 병풍문이 있고, 병풍문 안으로 들어가면, 한 쪽엔 라일락, 한 쪽엔 연꽃 항아리가 있었다고요……

개똥영감   그래, 그래!

치샤오밍   정면엔 대청 마루, 양쪽엔 방들이 있었대요.

개똥영감   (빠져들어) 그래, 맞아! 후에 이곳에 배정 받아 살던 사람들이 대개 방을 뜯어다가 새로 지었지. 우린 문루를 받았고. 문루는 얼굴이나 마찬가지지, 문루만 있으면 뜰이야 상관없지. 후얼, 당장 일거리들이 좀 있니?

천따후   뭘 하시려구요?

개똥영감   뭘 하냐구? 그 치가네가 뜰을 만들었는데, 우리 천씨네가 밥만 먹고 놀고 있어서야 되겠냐?

천따후   그렇잖아요, 한 자식도 그런 일 없어요, 훤한 대낮에 무슨 잠꼬대 같은 소리!

펑찐화   샤오후야, 할 말이 있으면 아버지하고 차근차근 얘길 하렴.

쑤렌위가 액자에 낀 영업허가증을 들고 들어온다.

쑤렌위   어—, 이 노인네 돌아왔네!

개똥영감   (퉁명스레 말한다) 네놈 땅 사러 왔다!

쑤렌위   아직 저 모양이군.

평찐화 렌위 아제.

쑤렌위 아주머니도…… 오셨구려?

평찐화 그가 돌아온단 얘길 듣고, 보러 왔지요. 헌데 아직도 이렇게 혼미해서 사람을 못 알아보는군요.

쑤렌위 (마음 놓고) 그럼 바른 대로 말하지. 영업허가증을 받았어. 공장을 시작하면 너희 두 식구가 정, 부지배인이 되고, 이 렌위 아저씨도 아무리 못해도 둘째 부지배인 정도는 맡아야겠지? 불도저만 오면 문루 부수고 일 시작하는 거다.

개똥영감 (깜짝 놀라 튀어 오르며) 뭐라구? 이 문루를 부순다구? 이 망할 놈의 자식— 네놈들이— 문루를 부순다구?

쑤렌위 (일부러 달래며) 아니에요, 이 문루가 낡아서 말야. 생각해봐요, 형님이 이렇게 늙었는데, 그거라고 안 늙을 수 있겠수? 부수었다가 우리 찐화 아주머니가 장에서 돌아오면……

개똥영감 (기색이 갑자기 변하면서, 비통하게) 이제 돌아오지 않을 거야! 방금 내가 대추나무에 말을 메고 있는데, 앞 골목 콰씨 둘째아주머니가 얘기해 주었어. 쑤렌위, 자넨 평생 날 속이기만 하나?

리완쟝이 등장한다.

리완쟝 형님, 우리 집으로 가십시다. 우리 마음 터놓고
　　　얘기 좀 합시다! (평찐화를 보고, 놀라) 당신도 왔소?

개똥영감 완쟝 아우, 제수씨 데리고 돌아가게. 우리 찐화,
　　　후얼 에미는 돌아오지 않는다네. 신령이면 사당이
　　　라도 지어주고, 귀신이면 무덤이라도 만들어줄 텐
　　　데. 그저 내 마음 속에다가. 하지만 자네들, 자네
　　　들까지 다 죽여 버릴 수는 없잖아, 우리 마을 촌
　　　장! 자네가 눈 번히 뜨고 사람들이 한 통속이 되
　　　어서 내 문루를 부수려는 걸, 내 심장을 베어 내
　　　는 걸, 보고만 있지는 않겠지!

천따후 아버지—

개똥영감 누가 네 애비냐? 넌 벌써 조상님도 다 잊었잖
　　　어!

천따후 잊지 않았어요. 증조부에 대해선 들은 바 없고, 할
　　　아버지는 땅 두 마지기 땜에 생으로 강아지를 삼
　　　키다가 돌아가셨다면서요? 아버지는 땅만 생각하
　　　다 미쳐버렸구요. 다 잘 살아보자는 거 아니에요?
　　　우리 집안은 이 아들이 일으켜 세울 거라구요.

개똥영감 네가 부자가 되겠다구? 홍! 내가 젊을 때는 새

벽 서너 시부터 들불 지고 나가서 똥을 주웠다―
네놈이 그런 일 해 봤나? 멀쩡한 정원도 다 파헤
쳐 엉망을 만들어 놓고, 어디, 문 앞에 있던 그 하
마석은 어쨌냐?

천따후 공장 세우는 데 주춧돌로 썼어요.

개똥영감 공장, 공장, 공장이 니 친애비냐? 네 뱃속엔 무
슨 별난 창지가 들어앉았냐, 무슨 마귀에 홀렸어?
전심전력 농사나 지을 것이지, 황토에서 금난단
말 다 잊었냐? 돈은 얼마를 벌든지 다 물거품 같은
거야! 이 어리석은 놈아, 이런 이치를 알기나 해?

천따후 (참을성 있게 설명을 하며) 아버지, 우리 여기가 얼마
나 좋은 곳인 줄 아세요! 앞쪽엔 큰길이 나 있고,
뒤에는 백운석 언덕이고, 저 하얗고 반들반들한
백운석 좀 보세요. 이게 보배란 말이에요, 외국에
서는 집 지을 때 다 이걸 써요, 얼마를 생산하든
다 팔리게 되어 있다구요. 별로 힘들이지 않고도,
좀 가공만 하면, 돌멩이가 재주를 넘어 돈으로 바
뀐다니까요. 이 낡은 문루만 보고 있으면 뭐해요?
흙 속에서 먹을 거라도 파내나요?

치샤오멍 그래요, 그 몇 마지기 땅 직접 농사짓느라 얼마
나 힘이 드셨어요? 이제 농사짓지 않으셔도 괜찮

아요, 저희가 품꾼을 쓸 게요. 문루 밀어버리고 공장을 지으면, 대문 앞에도 작은 집을 지어서, 봄하고 겨울 한가할 땐 아버님은 경비실에 계시면서 꽃도 키우고 새도 키우고 전화도 받으시고요. 두 사람 분 봉급을 드릴게요, 매달 보너스도 드리구요.

개똥영감 흥! 한 통속이 아니면 한 집안에 들어오지 않는다더니, 정말 멋진 한 쌍이다. 나더러 이 집에서 나가란 말이구나? 훌륭한 아들이다, 네 애비가 총알 앞에서 깨를 지키느라, 네 애미 목숨도 내놓았다. 그게 다 누굴 위해서냐? 네놈이 이런 망할 놈인 줄 알았더면, 낳자마자 죽여버렸을 걸! 그리고 아가, 너두 순한 듯 생긴 것이 이렇게 음흉할 줄이야! 아직도 너희 치가네 풍을 버리지 못했구나. 〈큰 소리로〉 치융니엔―

치융니엔의 환영이 나타난다.

치융니엔 여기 있어

개똥영감 이게 네 딸년이렸다!

치융니엔 콩 심은 데 콩 나고 팥 심은 데 팥 나지―

개똥영감   이 빌어먹을 놈!

쑤롄위   또 정신이 나가버렸군.

개똥영감   (환영에게) 네 함정이었구나! 당당하게는 못 당하겠으니, 술수를 썼어, 네 딸년을 보내서 우리 집을 망치도록! 이건 내가 피땀 흘려 이룬 거야. 새 사회가 준 거라구. 리완쟝이 증인이지— 그리고 너, (쑤롄위를 가리키며) 이발쟁이— 그리고 당신, (펑찐화를 가리키며) 이 아주머니— 모두 증인이지. 우리 이 살림이 그리 쉽게 이루어진 건 줄 알아? 이런 빌어먹을 자식 땜에 다 망칠 순 없어!

천따후   (결연히) 아버지, 이 문루는 이미 팔았어요!

개똥영감   (아연실색하여) 팔았다구?

천따후   병이 드셔서, 주사 맞고, 약 먹고, 게다가 기근까지 와서 똥구멍 찢어지게 가난했으니! 팔아서 빚을 갚았다구요.

개똥영감   누구한테 팔았단 말이냐?

쑤롄위   나한테!

개똥영감   (고갤 저으며 발을 구른다) 쑤롄위, 네가 정말 나하고 한 우물 마시고 형 아우로 자란 놈이라니! 예전엔 내게 땅을 팔더니, 이젠 문루를 샀다구…… 얼마냐?

쑤렌위 (되는 대로 지껄인다) 깨 석 섬! 아니, 아니지— 값은 따로 얘기하기로 했지, 내일 길을 민 후에, 내일.

개똥영감 내일?

천따후 내일이요.

개똥영감 (도움을 청한다) 촌장, 어떻게 좀 해 보게, 좀 해 봐.

리완장 어떻게 해 보라구요? 내가 어쩌겠소? 형님이 막 마을에 돌아오셔서 아직 잘 모르시는 거예요. 요즘은요, 아무도 뭐 누구 말을 듣지 않아요. 온 마을 몇 백 되는 사람들이 몽땅 다 능력 있는 사람이고, 나 하나만 바보 멍텅구리라구요. 저야 백 번이라도 사죄하죠. 다른 건 몰라도, 이 문루에 관한 일만은 내가 어쩔 수도 없고 어쩔래야 되지도 않고요. 정이 그렇다면, 면장한테 얘기해 보세요!

개똥영감 촌장이 돼 가지고 이런 거 잘잘못두 가리지 못해?

리완장 내일이면 그만 두거든요.

개똥영감 애 우니 엄마한테 안아다 주라구?

리완장 면장이 더 높으니, 생각도 더 잘 하겠죠.

개똥영감 가라면 가지, 면장을 만나, 너희 모두 한꺼번에 고발하겠어!

쑤렌위 개똥 형님, 가봤자 헛수고요, 내 방금 면에서 돌아
오는 길인데, 일본 손님 둘이 와서 함께 술 마시
고 있다더군!

개똥영감 뭐, 뭐라구? 면장도 친일파 첩자야? 끝이로군,
끝이야⋯⋯

천따후 아버지, 그만 포기하세요!

개똥영감 죽어도 내 마음 바뀌지 않아!

천따후 저희가 아버지 잘 모실게요, 먹고 마시고, 모두 원
하시는 대로요, 신선처럼 모실 게요, 그래도 안 되
겠어요?

개똥영감 효자가 되겠다구?

천따후 네, 효자요.

개똥영감 내 원하는 대루?

천따후 네, 원하는 대루요.

개똥영감 그럼 이 문루, 헐지 않지?

천따후 망가진 차가 좋은 길을 막고 있는데, 옮겨 놓는
게 당연하죠.

개똥영감 (세차게 따귀를 올려친다) 반란이군!

사람들이 모두 놀라 각기 그대로 굳어버린다.
어두워진다.

문루. 치샤오멍의 크크크 하는 웃음소리, 천따후의 하하하
하는 웃음소리.

개똥영감과 치융니엔— 제1장의 모습으로, 잠시 침묵하다
움직이기 시작한다.

개똥영감 (추스르며, 불을 붙인다) 내일, 내일이라, 니들은
니들 내일이 있고, 나는 내 내일이 있지……

치융니엔 난 내일도 없어— 다행이군, 딸애 내일은 있지.

개똥영감 (그가 아직도 옆에 있는 것을 발견하고) 꺼져, 네 모습
다신 보고 싶지 않아!

치융니엔 (중얼거리며) 오늘이 지나면 내일이군, 내일은 떠
들썩하겠는데…… (사라진다)

개똥영감 내일— 떠들썩하겠다구, 떠들썩…… (미친 듯이
외친다) 문루— 내 문루! (횃불을 던진다)

한 줄기 강한 빛이 문루 아래 꿇어 엎딘 개똥영감의 모습을
비춘다.

온 무대에 불길. 우뚝 솟은 문루가 화염에 휩싸인다.

사람들 소리, 모터 부릉부릉 소리, 거대하게 엇섞여 극이 끝

날 때까지 계속된다.

누군가 외친다:

"불도저가 왔다!"

"빨리 불 꺼!"

천따후와 치샤오멍이 등장한다. 두 사람의 모습은 마치 막

불구덩이에서 나온 것 같다.

천따후 아버진?

치샤오멍 가버리셨어.

천따후 쥐화칭은?

치샤오멍 끌고 가셨지.

천따후 빨리— 당신하고 렌위 아저씨하고 알아서 불 끄

도록 해, 깨끗이 치워 둬, 날이 밝으면 불도저가

곧 올 거야, 일분도 지체하면 안 돼.

치샤오멍 당신은?

천따후 아버질 찾아야지! (급하게 뛰어나간다)

치샤오멍 어디루—

쳔따후의 소리가 전해온다:"풍수파로—"

점차 불길이 잡힌다.

모터 소리가 크게 나더니, 불도저가 부릉부릉 거리며 들어온

다.

막이 내린다. 끝.

1985년 가을

류진윈과 〈개똥영감의 열반〉

중국의 20세기는 격동의 시기였다. 문화대혁명이 지나고 중국 문예계에 새로운 바람이 불던 80년대 이후를 중국에서는 신시기(新時期)라고 한다. 문예계에 문학을 되돌아보고 파괴된 인간관계의 상처들을 다독이는 반성과 치유의 움직임이 일었고, 이와 함께 다소 자유로운 분위기 속에 서양의 모더니즘 사조들이 수입되기도 했다. 연극계에서도 기존의 사회주의 리얼리즘을 넘어서 새로운 무대를 추구하는 시도들이 이루어졌고, 이를 "탐색극"이라 불렀다. 〈개똥영감의 열반(狗兒爺涅槃)〉(1985)은 북경인민예술극원(北京人民藝術劇院, 이하 인예로 약칭) 소속 극작가 류진윈(劉錦雲, 필명 錦雲)의 작품으로, 〈뽕나무벌 이야기(桑樹坪紀事)〉와 함께 그러한 흐름을 대표하는 작품이다.

류진윈은 1938년 하북성 웅현(雄縣)에서 태어나, 대청하(大淸河) 북안의 궁벽한 작은 마을에서 농사일을 도우며 자랐다. 증조부 대에는 그 지방의 향신이었으나, 조부 때에 이르러서는 점차 몰락하여 빈농으로 전락하였고, 항전 시기에 부친은 팔로군(八路軍)[1]에 들어갔다. 부친이 혁명에 투신한 동안 모친이 그를 시골 소학교에 보내어 교육을 받게 하였고, 1952년에는 북경에 있는 14중학에 입학시켰다. 이때부터 집을 떠나 북경에서의 생활이 시작되었고, 1958년에는 북경대학 중문과에 입학하여 중국 고전문학의 기초를 다졌다. 중학교 이후의 학업은 주로 장학금에 의지하였으므로, 졸업 후에는 국가가 배치한 대로 북경 주변의 한 농촌 마을에서 16년간 묵묵히 일하였다. 이 기간 동안 그는 문화대혁명이라는 폭풍이 휩쓸고 지나는 것을 목도하면서, 삶과 인간에 대한 통찰을 얻게 되는 것 같다.

문혁 이후 중단편 소설을 발표하기 시작하였고, 1982년에 비로소 인예 소속 극작가로 배치되어, 극작을 시작하였다. 거의 16년여 농촌 생활 경험을 지닌 그가 인예 소속의 극작가가 되었을 때, 그의 작품 속에서는 저절로 그러한 농촌의 경험들이 배어나왔다. 〈산골 여인 이야기(山鄕女兒行)〉(1985), 〈개똥영감의 열반〉(1985), 〈비석을 짊어진 사람(背碑人)〉(1987), 〈향촌일사(鄕村軼事)〉(1989) 등 농촌을 배경으로 한 작품들을 많이 창작하였고, 인간과 삶에 대한 깊

---

1 항전 시기와 국공 내전 시에 활동하였던 공산당의 게릴라 부대.

은 이해가 바탕이 되어, 그가 창조한 인물들마다 중국인의 전형을 보여준다. 개똥영감이 그러하고, 윈썽(運生)이 그러하다. 또한 2, 30년대를 풍미한 한 여배우의 삶을 그린 〈롼링위(阮玲玉)〉(1992)에서는 주인공 롼링위와 그를 둘러싼 여러 인물들의 형상화에 성공하여, 장기 공연에 붙여지기도 하였다. 당시 인예의 원장이었던 차오위(曹禺, 1910∼1996)[2]가 그를 아꼈으며, 1993년 출판한 『진윈희곡집(錦雲戲曲集)』(1993)에는 당시 원장이던 위쓰즈(于是之, 1927∼2013)[3]가 서문을 써 그에 대한 칭찬을 아끼지 않았다. 그는 인예의 부원장을 거쳐 원장을 지냈다.

〈개똥영감의 열반(狗兒爺涅槃)〉은 그의 출세작으로, 인예에서 공연되어 큰 반향을 불러 일으켰다. 이 작품은 "현실에 대한 비판과 진실의 추구"라는 진정한 리얼리즘 정신이 살아있는 동시에, 사실적 수법을 지양하고 의식의 흐름을 따라 자유로운 시공의 변환을 구사한 "탐색극"의 대표작이다. 막이 아닌 장(場)으로 연결된 구성, 상징적 무대 처리와 자유로운 시공의 변환 등은 상상과 가정에 의존하는 전통극 미학에 기초한 것으로, 중국 연극의 주류였던 주선률 리얼

---

2 극작가, 〈뇌우(雷雨)〉, 〈일출(日出)〉, 〈원야(原野)〉, 〈북경인(北京人)〉, 〈왕소군(王昭君)〉 등의 작품으로 유명하다.

3 국가 1급 배우로, 인예에서 공연한 라오써(老舍) 〈찻집〉에서 주인공 왕리파(王利發) 역을 맡아 중국 최고의 배우라는 찬사를 받은 바 있다.

리즘극을 넘어서 동서 연극 미학을 넘나드는 새로운 연극 세계를 펼쳤다.

대대로 소작으로 살아오던 빈농인 개똥영감 천허샹은 내전에 아내를 잃긴 하지만, 사회주의 혁명과 더불어 지주 치융니엔 소유였던 땅과 권위의 상징인 문루를 분배받아 평생의 소원을 이룬다. 힘껏 농사를 지어 땅을 늘리고, 이발쟁이 쑤렌위의 소개로 새로 과부 펑쩐화를 아내로 맞아, 아들 따후를 잘 길러 주도록 당부한다. 그러나 이러한 행복도 잠시, 인민공사 추진과 함께 모든 땅이 국유화되는 바람에 땅과 말까지 모조리 다시 반납해야 했던 개똥영감은 그 상실감을 이기지 못해 미쳐버린다. 아내도 알아보지 못하고 풍수파라는 험한 산을 일구며 혼자 살아간다. 아내는 십여 년간 미친 남편을 뒷바라지하다 더 이상 견디지 못하고 혁명대장 리완쟝과 결혼하고, 아들 따후는 지주의 딸 치샤오밍과 결혼한다. 문혁이 지나고 개혁개방이 되면서, 개똥영감에게 말과 땅을 돌려주지만, 아들 따후는 공장을 짓기 위해 아버지가 생명처럼 아끼는 문루를 부수고 길을 내고자 한다. 결국 개똥영감은 스스로 문루에 성냥을 긋는다.

개똥영감의 땅에 대한 집착과 지주로의 권위에 대한 욕망은 과거 중국 사회에 보편적으로 존재하던 것일 뿐 아니라, 아시아적 환경 속에서 우리에게도 익숙한 것이다. 격동의 20세기를 살면서 보편적으로 겪어 온 변화와 고통이지만,

중국의 경우 그 변화의 폭이 컸던 만큼, 그 상처도 깊고 크다. 외래 사상인 사회주의 혁명 이념이 올가미가 되어 중국인들의 머리 위에 씌워졌고, 그 안에서 움직일수록 옥죄일 수밖에 없었다. 과거 가난한 소작농이었던 개똥영감의 땅에 대한 집착은 단순한 욕구라기보다는 한에 가까울 만큼 절대적인 것이며, 우리의 과거도 그러했다. 그런데 사회주의 중국에서 그가 땅을 획득하고 상실하는 과정은 너무나 극적이어서, 그가 소화하기에는 또한 너무나 벅찬 것이었다. 그가 땅을 생각할 때마다 치융니엔의 환영(幻影)이 나타나는데, 땅과의 관계에 있어 그는 지주 치융니엔과 같은 세계에 속해 있기 때문이다. 그의 정신 착란과 기억 상실은 절망적인 현재에 항거하는 수단으로 장치화되어 있다. 개똥영감의 형상을 통해 중국현대사의 굴곡과 그에 따른 한 인간의 부침을 그려내면서, 역사적 진실과 인간의 본질을 파헤친 작품이다.

그의 희곡 작품은 특히 언어 표현이 뛰어나서, "살아있고 개성적이면서도 문학적"이라고 평가된다.[4] 중학과 대학 시절 즐겨 고전시가와 전통극의 창사를 지었고, 또한 민중 속에 파묻혀 지내며 늘 민중의 언어로 연창되는 설창과 희곡 등을

---

4 于是之, 「農民的兒子, 執着的人」, 錦雲 著, 『錦雲劇作集』, 中國旅遊出版社, 1993, 2면.

접하며, 시적 운치를 지니면서도 유려한 언어를 구사하게 된 것 같다. 그래서 그의 작품 속 인물들은 살아있는 대사를 쏟아낸다. 입에 잘 붙고, 간결하며, 응축되어서 쓸데없는 대사가 없는 그의 희곡은 라오서의 〈찻집(茶館)〉에 이어 구수한 북경 사투리를 맛깔지게 구사한 것으로 유명하다.

그는 『금운희곡집』에서 "시골마을의 가설무대는 내가 처음으로 문화와 역사를 배우고, 예술과 인생을 엿볼 수 있었던 창이었다. …… 이 안에는 눈물을 자아내는 연극(苦戱)도 있고, 떠들썩하게 웃음을 자아내는 연극(鬧戱)도 있어, 작은 "창본(唱本)"을 이루었다. 내 동년의 꿈이 이루어졌다."[5]고 밝혔다. 자신의 작품들을 평범한 시골 전통극의 대본인 "창본"에 빗대고 있다. 어린 시절부터 전통극에 매료되어서 동경해 왔던 연극에의 추구를 인예라는 환경을 만나 서구적 연극 형식으로 담아내었지만, 그의 작품이 리얼리즘의 틀에 갇히지 않고 전통극적 미학과 토속적인 언어가 자연스레 발현되고 있음은 우연이 아니다.

인예에서는 1986년 10월 댜오광탄(刁光覃), 린자오화(林兆華) 공동연출, 린롄쿤(林連昆) 주연으로 초연되었다. 린짜오화는 당시 인예를 통해 가오싱젠(高行健)의 〈비상경보(絶對信號)〉(1982), 〈야인(野人)〉(1985) 등 몇몇 실험적인 공연

---

5 作者 「後記」, 윗책, 330면.

들을 무대에 올려 주목받던 연출가였고, 린롄쿤은 1994년 제1회 베세토연극제 중국 참가작인 〈천하제일루(天下第一樓)〉(예술의전당 토월극장)에서 오리요리집의 종업원으로 등장하여 그 유려한 대사와 자연스런 연기로 우리를 사로잡았던 배우다. 당시 이들 인예의 배우들은 잘 갖추어진 리얼리즘의 기본기를 바탕으로, 더욱 자유로워진 린짜오화의 무대에서 훌륭한 앙상블을 보여주었다. 지금까지도 인예의 대표 레퍼토리 중의 하나로 꼽힌다.

역자는 1995년 원소절 처음 인예를 방문하여 부원장 시절의 그를 만났고, 그의 희곡집과 〈개똥영감의 열반〉 영상을 받았다. 그 후 2002년 『연극이론과 비평』(한국예술종합학교 연극원)제3집에 처음 이 작품을 번역하여 소개한 바 있다. 이번 중국현대희곡총서 출판을 위해 다시 수정 작업을 했다. 그의 언어의 맛을 조금이나마 더 잘 살리게 되었기를 기대한다. 오래 지연된 출판을 다시금 흔쾌히 허락하고 지지해 주신 팔순의 작가에게 감사를 표한다. 또한 우리 연극계의 큰 힘이 되어 온 도서출판 연극과인간이 중국현대희곡총서 출판에도 기꺼이 응해 주셨다. 이 자리를 빌려 감사를 드린다.

역자 오수경
2018년 3월 30일 행당 동산에서

중국현대희곡총서 1

개똥영감의 열반

초판 1쇄 인쇄 2018년 5월 15일
초판 1쇄 발행 2018년 5월 21일

지은이 류진윈(劉錦雲)
옮긴이 오수경
펴낸이 박성복
펴낸곳 도서출판 연극과인간
주소 01047 서울특별시 강북구 노해로25길 61
등록 2000년 2월 7일 제6-0480호
전화 (02)912-5000
팩스 (02)900-5036
홈페이지 www.worin.net
전자우편 worinnet@hanmail.net

ⓒ 오수경, 2018
ISBN 978-89-5786-639-9 04820
ISBN 978-89-5786-638-2 (세트)

값은 뒤표지에 있습니다.